自由の信条／保守の感性

政治文化論集 II

野田裕久

幻冬舎 MC

自由の信条／保守の感性　政治文化論集Ⅱ

目次

1 政治系

皇室論議の根本

皇室に皇太子妃のキャリアや人格を否定するような動きがあったという、異例の皇太子発言が為された。世継ぎたる男子出産への圧力ゆえに、外国訪問も許されなかった事情を指すものと推測されている。現状に問題のあることは確かなようだ。皇室論議をその根本から省みる好機かもしれない。現状維持を前提にしての解決策の模索か、抜本的な変革を企図するか。

まず第一に、現行の皇室制度の護持を前提する道。種々の世論調査では八割強の多数者がこれを支持する。その上で皇位継承を男系男子に限る皇室典範を維持する場合には、男子出産は最優先の課題でなければならず、もしそれが皇室の国際親善と当面両立しがたいというのであれば、後者が制約されるのは筋といえよう。無論、世継ぎ候補の現状に鑑み、皇室典範を改正して女性天皇の登場を容認することで皇室の堅持と発展を図るという選択肢もありうる。

第二に、皇室制度が存在する限り皇族等の人格否定は避けられぬなどとして当該制度そのものに不条理性を見て取り、皇位継承者不在の可能性とも相俟って皇室制度の精算を期する立場がある。理不尽な過去の遺制として君主制を廃止し、共和制への転換を目指すのである。ラディカルな志向であるが論理的に考えられないことではない。実態としても世界の大勢は共和制である。国連加盟国一九一カ国中、君主国は四三カ国のみであるように。しかも二〇世紀から今日にかけてロシアやドイツやイタリアや中国のように君主制から共和制へと移行した例は多くあるが、（スペインを除いて）その逆のケースはない。ところが、この未曾有の大変革を望む者は世論調査では一割弱の少数者に留まる。なお、反対に天皇親政と君主主権を求める声も一割弱に過ぎぬ。何れにせよ実現可能性は乏しい。

結局、現実的な選択肢は先述の第一の道しかない。が、その際には、他ならぬ立憲君主制・象徴天皇制たる現行の皇室制度を望ましいとするだけの自覚が必要となる。君主制の本質と意義と効用について、その存続のための条件やコストも視野に入れつつ明瞭な理解に努めなければならない。国民の選挙によらぬ、しかも自ら統治せぬ国家元首が常在し、そうした元首のあり方が世襲により継承されるというのが立憲君主制の原則である。非党派性・公平無私のイメージ、政府の不連続にも関わらず国家の連続性が確証されることに基づく安定感、ここに君主制の意義があろう。更には、国体の連続性が保証されているとの安心感ゆえに国内分裂の危険が少なく、却って大胆な改革運動が可能となる――明治維新や戦後改革――との効用もあろうか。

しかし、君主制が近代の政治原理や市民的権利と相容れぬ契機を持つことも当然なのである。天皇と国民とは「法の下の平等」の関係にはなく、皇室には「男女の本質的平等」はない。天皇・皇室には生計が保証される半面、参政権、職業選択の自由、婚姻の自由、結社の自由、言論の自由などは、禁止ないし著しく制約される。否、現に論議の焦点となっているように、公私の区分もなきに等しい。私事と公事との一体性。君主制の本性から血統の継続が重要課題である以上、最も私的なる営為が同時に最も公の関心事であるという――一般市民からすれば――逆説もまた不可避となる。皇室制度の存続と安定と発展とを真に願うには、近代的価値観からするこうした違和感にも絶えず応答する必要がある（二〇〇四年七月一五日付の記事である。その後、親王の誕生など事態は進展中である）。

朝日新聞対ＮＨＫ――所感

現在進行中の事件である。以下、朝日新聞とＮＨＫの一連の主張ならびに総合雑誌五冊ほどの関連論説を通読しての、現時点（二〇〇五年二月一九日現在）での所感を述べる。朝日報道とＮＨＫプロデューサー記者会見に接しての第一印象は、「朝日の見込み取材か演出だろう。結論と筋書きを先に作っておいて誘導尋問を仕掛けるわけ。権力に抗する良心的言論人というのがその眼目だ」というもの。一九八二年の教科書書き換え誤報事件、一九八九年のサンゴ損傷捏造事件を想起し「二度あることは三度ある」との感懐を抱きもした。自民党国会議員の中川昭一・安倍晋三氏がＮＨＫ幹部を呼びつけ放送前の番組にクレームをつけそれが原因となり番組内容が改変されたとの朝日の報道は、「圧力」問題の当事者双方が具体的事実を上げてそれを否定し朝日の取材の恣意性を指摘するのに対し、朝日側が有効に反論できていない現状に照らせば、誤報か虚報と見て大過ない。先の第一印象は今や確信に近い。朝日報道の真実性いかんという争点では、新事実の暴露でもない限り朝日に勝ち目はない。

ところで、この事件にはもう一つ争点がある。ＮＨＫと政治との密接な関係いかんというものがそれである。ＮＨＫ側が朝日の虚報こそ問題の核心と見るのに対して、朝日側はＮＨＫと政治との近接こそが要点と論じる。朝日の『論座』（二〇〇五年）は、自社の報道の信憑性には触れぬまま「NHKはジャーナリズムか」との特集を組みこの点を追及している（ちなみに『世界』（二〇〇五年）川崎泰資氏の論説は朝日報道が真実であるとの前提に立った稀有の例）。さて『論座』論説の曰く、（たとえ政治家が呼びつけたのではないにしても）放送前に政治家に番組内容を説明することは、事前に「お伺い」を立て検閲を受けることに等しい。それをNHK幹部が業務遂行の範囲内で当然の対応と公言するのはジャーナリズムとして由々しき事態だ、と。NHKの論理はこうである。NHKの予算や事業計画等が国会の承認を受ける以上、与野党の国会議員にその内容を説明する必要がある。「国会議員に会うことを、『圧力』と短絡的に結びつけられることは残念だ」と。これをどう考えるか――。基本的にNHK側に理があるというのが私見である。検閲とは表現内容を強権的に調べ不適当と認める時はその表現行為を禁止すること。その権限がない以上、国会議員の発言が検閲に当たるはずがない。それは「圧力団体」の意味における「圧力」かもしれないが、かかる圧力はもとより取材対象や制作会社や左右両翼の「市民団体」やNGOや「有識者」や、およそ当の番組に利害関係や思想信条上の関心を有するあらゆる方面から掛かろうもの。NHK内部にも見解の対立はあるだろう。放送された番組は原案に基づきつつそれら圧力の全てを考慮した合力の産物。かかるヴェクトル合成の営みを編集権の行使という。諸力合算の主体はNHK自身なのだから組織の自律性は保たれている。

　しかも今次の事件の発端となった「女性国際戦犯法廷」とは、被告人も弁護人も不在のままに「戦時性暴力」の咎により昭和天皇有罪との原告勝訴の判決が喝采とともに宣告されるという内容。カルト教団の糾弾集会を放送対象とするからには、公安および善良な風俗、政治的公平、真実性、多様な論点といった、放送法上の要請がなおのこと留意されるのは必定。「公正中立にやって下さいよ」とは何と穏当で控え目なコメントであることか。

竹島問題──韓国側主張に根拠なし

ある国が無主地を実効的に先占すれば、その土地はその国の領土となる。これが近代国際法の原則である。日本と韓国とは竹島（韓国名では独島）の領有権を主張して互いに譲らない。外務省ホームページには「竹島領有に関する歴史的な事実」として以下の点が挙げられている。──日本は古くから竹島を認知していた。一七七九年の日本地図には竹島の位置関係が正しく記載されている。現に江戸時代の初期には竹島は（韓国本土の東沖合にある）鬱陵島に渡航するための寄港地・漁労地として利用されていた。遅くとも一六六一年には伯耆国の大谷・村上両家は幕府から竹島を拝領していた。一六九六年、日韓（朝）間の交渉の結果、幕府は鬱陵島への渡航を禁じたが竹島への渡航は禁じなかった。このように日本は竹島を実効支配しつつ自国領土と認識していた。しかも韓国がそれ以前に同島を実効的に支配していた証拠はない。ゆえに一九〇五年に竹島を領有する意志を再確認してこれを島根県に編入した行為は有効であり、その後の日本被占領などの情勢の変化にも関わらず、その国際法上の有効性は持続している。韓国による現在の竹島占拠は不法占拠以外の何ものでもない、と。これらの記述には挙例の具体性から推して信憑性がある。無主地の実効的先占による領有権確保の典型例とさえいえようか。

さて「独島研究保全協会、独島学会」編『韓国の領土　独島物語』という日本語の冊子がある。韓国の「統一展望台」で入手した。韓国側主張の代弁と見て良い。要するに、五一二年から朝鮮の文献に于山島なる島の記述があるが、同島こそ独島に他ならぬとの前提の下にその領有を力説するのである。引証された原文の「于山島」に一々カッコ付けで「独島」と付記するなど。なお「独島」という呼称は一九〇四年以降のもの。韓国古地図には当然ながら「独島」の名称はない。于山島＝独島と読み込むわけである。実際には、于山島とは下條正男『竹島は日韓どちらのものか』（二〇〇四年）の緻密な実証に明らかなように、鬱陵島かその近傍の小島を指すと解するのが自然である。同冊子に掲載された韓国地図を見れば一目瞭然。一五三一年の地図でも、一七三七年の地図でも、一八九八、九九年に大韓帝国が作成した地図でも、于山島は鬱陵島のすぐ傍に隣接する小島であり、北緯三七度一四分、東経一三一度五二分に位置する肝腎の竹島（独島）とは全く異なる。周到な予備知識がなくとも、あたかも当の冊子を通読するだけで、その主張の不合理に自ずと気づく仕組みである。なお一七八五年に林子平が作成した地図に竹島が描かれ「朝鮮ノ持也」と付記されている点を捉え、日本側も「独島を韓国の領土に記録」と断じているが、これは誤り。考証すれば件の島が実際には鬱陵島であると判明するからである（下條前掲書一七六頁）。傑作なのは、于山島が鬱陵島の西側に描かれた地図に付された次の解説文である。「于山島（独島）の位置を鬱陵島の内側に描いたが、むしろこれは于山島（独島）の領有意識をもっと強烈に表わしたことになる」と。牽強付会の見本である。結局、韓国は竹島（独島）を実効支配していないことはおろか、その存在さえ認識していなかったと結論せざるを得ないようである。

韓国側主張に根拠なし。韓国側に真に言い分があるのなら、国際司法裁判所という法理の専門家の前で堂々と議論を交わそうとの、日本側の提案に応じてもらいたいものである。

平等と不平等の間（一）

「平等」論序説である。

事実として人間は平等か不平等か。何れの解答もありうるが、根源的には平等、現実の種々相においては不平等というのが正解であろう。

人間平等説を瞥見する。仏教の「山川草木悉皆成仏」観では人間とその他の生物との区別もない。一視同仁の立場である。キリスト教の「神の前の平等」。万物とともに人間を創造した神の目からすれば人間の間のあれやこれやの差違など無きに等しい。宗教を前提にせず、実際問題として人間平等こそが真相であるとする見方もある。たとえば医学的唯物論とでも。「人間も生物としては他の生物に比して原理的に何も変わったものでないのですから、試験管の中で人間が出来たって原理的には少しも驚きはしません」（菊池正士「科学の超克について」一九四二年）と。ホッブズは、最も弱い人間でも最も強い人間を殺すことができるがゆえに人間は平等であると論じた。自己保存の危うさは万人共通であり、その恐怖を解消すべく国家設立が要請されるとの政治論を展開するに至るのである。ベンサムによると、いかなる人間も苦痛を避け快楽を求めるという点で同等である。いわば詩を作るのも「ピン遊び」に耽るのも快楽追求という点で同じ。殉教とてそれが本人の快楽であるがゆえに特に崇高な行為でもない次第。否、もとより「万人必死」（誰もが必ず死ぬ）という一点において人間は平等である。仮にそれがなければ――実際、絶対に死なない人と必ず死ぬ人とがあるとして、両者の間ではおよそ真の共感も友情も生まれまい。つまりは社会そのものが成り立ち得ないであろう。最広義の運命共同体の条件。それが「万人必死」という事実である。

さて人間平等という根源的事実は、得てして人生の重大な局面に際して痛切に思い知らされる事柄ではあるが、それだけにそれは極限の事実であり、日常一般の生活では感得されることは少ない。なるほど「万人必死」は重大な前提ではある。といっても、どうせ最期は同じだからと、生涯富裕の人を尻目に生涯貧乏に心から甘んじる人はいそうもない。絶対者から見れば人間間の優劣など所詮は「ドングリの背比べ」。しかし、現実世界・世俗世界の人間にとって何より目に付き常に気がかりとなるのは、やはり人間不平等の現象である。現実の種々相においては不平等こそが主要な事実。懸念の種となる。それどころか、トクヴィルのように、社会状態が平等になるにつれ却って些少な不平等に耐えられなくなる、それが人間心理だとする分析もある。貴族主義社会では不平等が生来のものと了解されていたために「劣位」の境遇にあっても人生の意味づけは為しえたが、機会が万人に開かれているはずの民主主義社会にあっては「劣位」の境遇の己を自ら蔑むとともに「優位」の者への嫉妬と羨望が噴出する、と。「隣の貧乏、雁の味」である。

「不平等」という事実にいかに対応すべきか。プラトンのように不平等を正面から正当化する論者もあれば「生まれながらの支配者」という概念もある。しかし、この平等志向の現代にあっては受け容れられそうもない。現状の不平等を諒とせずその克服を目指す平等主義が生じる所以である。「根源的平等」という永遠の相の下で交わされる平等論。多種多様である。およそ全ての政治思想や社会哲学が「平等」という難問に取り組んでいるといって過言ではない。平等論の実質は続稿の課題である。

平等と不平等の間（二）

何々であるか否かという議論と、何々であるべきか否かという議論とは、次元を異にする。「ある論」と「べき論」。存在と当為の区別とも。両者が密接に関連することは当然だが、カテゴリー上は別物である。小文（一）では「ある論」レヴェルでの人間平等説を瞥見しつつ、人間平等が根源的事実であろうと述べた。

本稿は「べき論」の考察である。むろん「ある論」を前提にしない「べき論」はありえないが。さて、人間不平等主義と人間平等主義。その前者を取り上げよう。人間不平等主義の論理とその問題点が明らかとならぬ限りは、人間平等主義を模索する契機が生じないからである。

「人間の扱いは不平等たるべし」との議論。たとえば四種ほど。（a）インドのカースト制度。これはバラモン（祭司）からシュードラ（隷民）に至るまでの階層秩序。その区分は絶対的。ヒンドゥー教によれば、現世の所属カーストは前世の行いの結果ゆえ変更不能、輪廻転生を経て次なる現世での所属先に期待するしかない。（b）（プラトン『国家』にある）黄金製の人間や鉄製の人間という神話。むろん「黄金人」が生来の能力に優れた指導者である。（c）有機体的社会観の一側面。社会の中の個人は有機体における細胞ないし器官。特定の細胞から特定の器官が形成され、いったん形成された器官は他の器官に変わることはない（足が頭に変わらぬように）。（d）人種主義。生まれながらに白人は有色人種とりわけ黒人よりも優秀であると断ずる。アーリア人を優性、ユダヤ人を劣性と見る反セミティズムも同様である。

以下のような批判的検討が可能である。

（イ）「ある論」次元の批判。――人間不平等主義は「人間平等という根源的事実」との折り合いが悪い。「万人必死」則を想起するには及ばぬ。黄金製や鉄製という前にいかなる人間もDNA製だ。試みに、最もヒトと近い動物たるサルと比べてみよ。最も進んだヒトと最も遅れたヒトとの差は、最も遅れたヒトと最も進んだサルとの差より、はるかに小さいであろう。それくらいには人間は平等なのである。まして身分階層の別は、現象としては後天的に形成されたもの。人間という共通の種の中の変種ほどの差違もない。それが絶対不変とされるなら現世は「自然にかくも反する社会状態」（トクヴィル）となる。有機体的社会観については、いわば比喩の実体化が指摘できよう。原子論的な個人観と機械論的な社会観とを否定しようと、社会と個人の関係を有機体と器官の関係に準（なぞら）える意図は判るが、実相の十分な説明とはいえない。個人の社会における機能は器官の有機体における機能と異なり可変的だからである。

（ロ）「べき論」次元の批判。全般に「区分け」の恣意性に関わる。白人と黒人といった区別があるとしても、それが何故に不平等な扱いの理由とならねばならないのかが不明である。ある種の不平等が許され場合によっては望まれるとしても、それは例えば（白人黒人を問わず）業績による不平等であるべきというように。不平等を正面から正当化する議論には心情的に耐えられない、道徳上も容認できぬとの直観もあろう。トクヴィルが人種主義者たるゴビノーに宛てた手紙に次の一節がある。——人種のゆえに、境遇改善や政治改革のために為しうる術は何もないとの教説からは、「永遠の不平等が生み出す全ての悪徳——傲慢、暴力、仲間への軽蔑、あらゆる形の専制と屈従——が導かれるではないか」と。

平等と不平等の間（三）完

人間不平等主義は不合理かつ不当である。ここに人間平等主義への道が開かれる。人間平等説を振り返ろう。「人間は根源的には事実として平等である」。まさに然り。だが、この命題そのものからは「良き平等主義」が導出されるとは限らない。「根源的平等」が「医学的唯物論」や「生物としての平等」を意味するなら、人間が等しく尊重されるべしとの結論は必ずしも導かれない。天敵なきヒトのこと、その数を抑制するには戦争や人工的な飢餓によって過剰な人口を大いに減らす他ない、それが地球環境への適応における生物世界の鉄則、ヒトとて例外でないはず、といった極論もありうるからだ。「世界革命の勝利のためには国民の半数が死のうとも構わぬ」（毛沢東）との公言もある。独裁者の下の「平等な隷従」。その非人道性は受容されがたい。

人間平等主義は人間平等説に基づくが、そこには初めから人間尊重という価値が付与されている。単に前提されるのみ。宗教を受け入れるのは理性による思考によってでなく信仰によってであるように。人間が人間であるがゆえに平等に尊重に値するとの信念は、キリスト教では「神の似姿を宿した人間」という教説に由来する。また「人間尊重」則には「自然法」とか「自然な感情」とか「事物の本性」とかが持ち出される。そうした価値は端的に「自明」とされる。まこと証明不可能ゆえに自ずと明らかという構図である。

そこで人間平等主義である。人類普遍の原理の模索だが、出発点に既に相当の西欧的な価値意識――人道主義――があるともいえる。現在それは共通の了解事項といって大過ないが。「権利の平等」と「状態の平等」との分類。以下、現代の最も体系的な平等論の一つであるロールズ『正義論』（一九七九年）を参照しよう。――「平等な基本的自由」（a）の要請が最優先である。人身の自由や思想の自由は万人に例外なく妥当する。人道主義の最低線である。「権利の平等」としての「法の下の平等」がその原型。半面、「基本的自由」以外の自由の享受に関しては、理に適った不平等という見方も可能になる。自由権の行使の結果として貧富の隔絶という事態が生じうる一点を思い描くにつけ、いわばハンディキャップ救済のための不平等な措置が許されることになる。不平等の要件の探究である。まず「機会の平等」――「公正な機会均等」（b）が要請される。生来の能力や資質、親の所得水準など本人の責めに帰すことのできない要因を排除すべく、奨学金の貸与など特例的に優遇することは正義に適うとする。更に「格差原理」（c）。「最も不遇な人々の便益を最大化するため」の不平等な措置――公金による扶助――が求められる、と。（a）（b）（c）の優先順位は不動である。貧者の利益と称して富者の人命を奪うことは許されぬとの仕組み。精緻な論議ではある。では「状態の平等」――

「機会の平等」から「結果の平等」への道――やいかに。「結果の平等」を確保しようとすれば、不断に自由を制約せねばならない。極端な累進課税などによる所得再分配は、有能かつ勤勉な者に対する不平等な扱いとなる。努力と幸運の賜としての所得に対する、あたかも懲罰的な課税措置。創意工夫や勤労意欲の減退、租税回避への誘引。その先は「平等な衰退」か。

　平等論はさながら断崖絶壁上の隘路を歩く営みである。前後左右の何れに蹌踉(よろ)めいても身は真っ逆さまに奈落の底。人類はその奈落の底を幾度となく味わってきたものだ。

自由と平等を考える

フランス人権宣言（一七八九年）第一条にはこう謳われている。「人は自由かつ権利において平等なものとして生まれ生存する」云々と。ところが同時代の文豪ゲーテは曰く、「立法者にせよ革命家にせよ、自由と平等とをともに約束する者は、空想家でなければ詐欺師である」と。

さて、何れが真実か。自由と平等とは両立するのか対立するのか。「不自由」や「不平等」といった言葉に悪い語感が伴うように、一般に自由も平等も望ましい価値と見なされる。両立するに越したことはない。しかし自由にさせれば結果は不平等、結果の平等を求めれば自由の制限は避けられぬとは、見やすい道理だ。両者は両立不可能か。しからば人権宣言にいう「権利において平等」とは。自由にも平等にも種々相がある。以下、功利主義とロールズ『正義論』を瞥見しつつ、この問題を考えよう。

功利主義。立法の原理は「最大多数の最大幸福」を宗とすべしという有力な社会哲学である。「効用（満足の度合い、幸福、便益）最大化」志向とも。これは自由の友か平等の味方か。何れの解釈もありうる。前者の説明。市場経済は当該社会の効用を最大化すると見れば、各自の自由な活動ゆえに最大多数の最大幸福は達成される。財の生産しかり。財の分配に関しては不平等を認めるが、それは不正ではないとする。今日の新自由主義の論拠の一つである。後者の説明。功利主義は平等へと向かうはずと。以下の論理である。「限界効用逓減(ていげん)の法則」——効用の増え方は、財の量が大きくなるにつれて、次第に小さくなるとの法則——が妥当するとしよう。渇いた喉の最初の麦茶一杯の満足度を一〇とすれば二杯目は八、三杯目は五となろうように。無一文の人が一万円を得る効用は、一〇〇万を持つ人が一万円を得る効用より大きいであろう。その類推で財は当該社会の貧しい者——多数者——に分配する方が効用が高まる。かくして功利主義は平等主義となる。しかも功利主義は効用最大化のためなら特定少数者の自由を否定する可能性がある。ある種の社会で奴隷制によって最大の財が生み出されるならこれを容認するというように。

ロールズは功利主義の立場を取らない。その自由否定の契機ゆえにである。ロールズは自由を「基本的自由」とそれ以外の自由に分ける。前者は市民的・政治的自由、後者は経済的自由である。前者は万人にとって不可侵であり価値の序列において最優先される。対して後者には不平等な取扱が許される。アメリカの自由主義（リベラル）の典型である。ロールズは、後者の不平等の要件として「格差原理」（最も不遇な人々の便益を最大化せよとの原理）を説くとともに、これに優先して「公正な機会均等」原理を提示する。平等には段階があって、形式的機会均等→機会の平等（公正な機会均等→完全な機会均等）→結果の平等という順に平等が実質化する。「権利の平等」から「状態の平等」に進むともいえる。さて最前者は「法の下の平等」を指す。これは自由と両立。むしろ自由の別の表現である。機会の平等となると微妙に。いわばスタートラインを揃える措置である。不遇者に奨学金などの支援をするのは自由の侵害にならないが、その完全化を期するなら究極は親の婚姻規制などをもたらしかねぬ。自由の否定となる。結果の平等を目指すとなれば、多くの財を得るであろう者の自由を制限する措置が必至となる。自由と平等は対立するわけだ。

佐野亘『公共政策規範』書評

公共政策学という学問分野を新たに確立しようとの企図がある。「BASIC公共政策学」（ミネルヴァ書房）全一五巻のプランがそれである。本書はその第二巻である。第一巻の足立幸男『公共政策学とは何か』とともに公共政策学の原論というべき位置を占めよう。以下、評者なりの要約ないし再構成を試みつつ私見を交えよう。

公共政策規範は個人道徳を超える点、具体的方策の提示に関心を持つ点で、倫理学と政治哲学・法哲学と区別される。公共政策規範は、コストや当事者の能力からする実現可能性を必要条件とし、問題発見や主張の正当化のために使用される。論理の貫徹よりも実用性が眼目である。たとえば論理的には事実（存在）から価値（当為）は導けないが、公共政策規範では「現実感覚」によりその問題を回避できるとする。

その上で、公共政策規範の論じ方に関して著者は三つのアプローチを分類する。自由主義、功利主義、本質主義がそれである。自由主義は自由を本位とし、中立的正義と他者危害原則と自己責任原理という理念を特徴とする。功利主義は効用を本位とし、帰結主義と厚生主義と集計主義とを特徴とする。それぞれに古典的と現代的の違いがある。前者から後者への事態は、自由主義の場合、理念の変容や論点の移行と評せるかもしれない。功利主義の場合は効率性基準の着想など深化と精緻化といえようか。本質主義は自由主義と功利主義の両者と異なる。後二者が「善」を主観的で相対的なものと捉えるのに対して前者は客観的で絶対的な「善」の存在を信じる。本書で自由主義に対する批判と功利主義に対する批判にそれぞれ一章が割かれる半面、本質主義については「批判と応答」が論じられているように、著者は本質主義に与している。

　自由主義と功利主義と本質主義の相違点と共通点について、もとより三者の相違点いかんが議論の根幹である。しかも本書の持ち味は、本質主義という旗幟鮮明を焦らず、公共政策規範という事象そのものの複雑性を見据えながら、単純化の行き過ぎを避けようと、議論の枝葉にも分け入ろうとする、その手堅さと周到さにある。三者の共通点は公共政策規範を理性的に論じることができるとの信念の共有であろう。自由主義と功利主義との共通性については既に述べた。自由主義と本質主義とは、自由の要請と卓越性や美徳の要請とが合致する限りでは共通する。功利主義と本質主義とは、卓越性や美徳の発揮は幸福への道と考えられる限りでは共通する。

　公共政策学は開拓途上の学問であり、その「公共政策規範」論に関しても定説はない。公共政策規範を理解し説明すべく、自由主義・功利主義・本質主義という三つのアプローチに着眼し、その異同と長短を縦横に論じたのが本書である。新分野への挑戦の書である。

創造的にして啓発的である。それゆえにこそ読者の思考を活気づけ種々の異見を誘発する働きがある。二点ほど私見を述べよう。批判ではなく別種の説明の仕方の提案である。自由主義・功利主義・本質主義とあたかも鼎立(ていりつ)するのであろうか。三者は同じカテゴリーに属しつつ併存するのか。

その一。自由主義それ自体の中に、功利主義的なタイプと本質主義的なタイプがあるともいえないか。自由のもたらすべき望ましき帰結を理由として自由を正当化するのが前者、自由そのものの価値の至高性を前提して自由を弁証するのが後者である。

その二。政策論議――政策立案やその遂行――に関して、自由主義とりわけ古典的自由主義は、禁止的で抑制的で消極的な作用を及ぼし、功利主義は推進的で積極的な作用を及ぼす傾向があるのではないか。自由主義は政策Aであれ政策Bであれ、それが自己責任原理を侵さぬように要請する。関心の焦点はそこにある。功利主義は政策Aと政策Bの優劣を効率性基準に照らして判定することに関心がある。政策一般への態度が前者はネガティヴ、後者はポジティヴとはいえないか。その〝抑制〟対〝推進〟の妥協点を直観と常識と賢慮によって探り当てることが本質主義の働きではないか。本質主義は全ての背景に在るともいえようか。いかなる「主義」により正当化が試みられようとも「直感に反するような政策」をさほど自覚せずとも排除するような態度が本質主義の本領かもしれない。

　本書が公共政策学の成立に対し重大な貢献を果たす記念碑的な作品であることに疑いの余地はない。なお著者の文体は論旨の厳密さを損なうことなしに、しかもあくまで簡明にして平易である。均整の取れた公正な立論で信頼感がある。かつ刺激的で〝思考誘発的〟である。一読のみならず再読、精読に値する好著と断言して間違いはない。

里見岸雄『国体に対する疑惑』の事

里見岸雄は明治三〇年（一八九七年）に生まれる。父は日蓮主義にして国体論者の田中智学。里見自らの立場ともなる。早稲田大学の哲学科を首席で卒業、英独仏に遊学、大正一三年（一九二四年）に帰国して「里見日本文化学研究所」を開設する。昭和三年（一九二八年）に『国体に対する疑惑』を刊行。昭和一六年（一九四一年）立命館大学法学部教授に。「日本国体学会」を率いつつ戦後も著作活動を続ける。『日本国体学』全一三巻など。昭和四九年（一九七四年）没。

「国体科学」――科学的国体論を志向する。国史研究ないし皇国史観に基づく。父の田中智学と同様に、その国史研究からする学問的な知見と日蓮信仰とがいかに結びつくのかという難題がある。西洋の軍事史の研究に加え日蓮信仰から霊感を受けて「世界最終戦」を予言した石原莞爾のように、科学と神秘の精妙な結合かもしれない。なお『国体に対する疑惑』には日蓮信仰の要素はほとんどない。

『国体に対する疑惑』は、五〇の「疑惑」を取り上げそれに回答する体裁である。知識青年には「国体」の真価を疑う者が少なくないことを知った衝撃のうちに成った一書である。「本書の疑惑五十項目は、陸軍士官学校、東京帝国大学、京都帝国大学、早稲田大学、慶応大学、東京商科大学、同志社大学等の卒業生並びに在学生から集めたもので、提出者中には純然たる社会主義者もあり、半信半疑の思想的中性者もあり、尊王主義者もある」（展転社版）。いわば左右両翼に対して正しい「国体」観念を説き明かそうとする試みである。本質的で根幹の議論もあれば、派生的で枝葉の議論もある。真摯な応答がその魅力である。「天皇を神とするは独断的にしてむしろ自然人と解すべきが合理的には非ざるや」とか「人民と国体とはどちらが重いか」といった際どい論題もある。当局から危険視され後年（昭和一七年）には発売禁止処分となった。内容を再構成すると、以下の通りとなろう。万世一系の国柄を日本の国体と捉えた上で、その意義を論じる。外国との相違、日本の固有性が強調される。さらに種々の批判に対する反論がある。おわりに万世一系の国体を護持すべき今後の気構えが説かれる。

第一。君主が人民を愛し人民が君主を盛り立てる。これが建国以来の日本の国柄であり、実際に天皇は「国民全体の生活統一の代表者」であり続けた。その実績が万世一系の皇統である。君民の対立を前提する外国との差異である。「天皇は何故神聖なりや」「万世一系は何故尊きや」への回答でもある。

第二。天照大神や天孫降臨は事実でないとする批判には、それらは「歴史的事実の記録」ではないにせよ「歴史の真」であると返す。「壬申の乱の如き忌はしき歴史」ほか、皇室にも非人道の事蹟があるではないかとの非難や、「承久の乱」や南北朝時代や幸徳秋水の大逆事件を引証しての「国体」批判に対しては、それら事例の不祥事たるを認めつつ、なお万世一系が厳然たる実態として在るという点に注意を促す。

第三。万世一系は単に自然現象ではない。その真義を解しこれを守り広めようとする決意あっての国体であると力説する。さながら、その心は昭和一二年（一九三七年）制定の国民歌謡「愛国行進曲」第三番に集約されているかのようである。「今幾度か我が上に／試練の嵐哮るとも／断乎と守れその正義／進まん道は一つのみ／嗚呼悠遠の神代より／轟く歩調受け継ぎて／大行進の往く彼方／皇国常に栄えあれ」と。

オークショット国際学会

マイケル・オークショット（一九〇一から一九九〇年）に関する国際学会に招かれた。「アサン政策研究所」（The Asan Institute for Policy Studies）という団体の主催である。同団体は「中立的で非党派的なシンクタンクであって、その使命は朝鮮半島の平和と安定および朝鮮の再統一に資する国内的・地域的・国際的な環境作りを促す政策関連の研究を行うことにある」（同ホームページ）。二〇一二年一一月九日と一〇日、ソウルにて。「アサン冷戦期自由主義プロジェクト」として「マイケル・オークショットの冷戦期自由主義」と題する企画である。発表者はシンガポール国立、プリンストン、カーディフ、香港城市、愛媛、成均館、復旦、オックスフォードの各大学から総計一〇名。「オークショットの近代政治論——保守かリベラルか」「オークショットの全体主義論と立憲的民主主義論」「東アジアの文脈におけるオークショット」の三つの部会からなる。筆者は第二の部会で発表する。詳しくは「マイケル・オークショット学会」（Michael Oakeshott Association）のホームページを参照されたい。オークショットの主要論文である「市民状態論」の翻訳を中心とした『市民状態とは何か』（一九九七年）をかつて出版したが、それが機縁となったかと推察される。

オークショットは保守主義の政治哲学者。思想と文体と（直接知る人にはその）人柄の魅力ゆえかファンが少なくない。その名を冠した学会があるようにである。本発表はオークショットとハイエク（一八九九年から一九九二年）を類比させて論じる試み。ハイエクは古典的自由主義の経済学者であり、オークショットと比べて知名度は格段に高い（マイクロソフト・ワードの英文ワープロでOakeshottと打つとスペル誤記を疑う赤い波線が出るがHayekと打つとそのまま反映される）。以下が語ろうとする内容の概要である。

ハイエクもオークショットも自由の価値を重んじ自由社会の諸条件を探求する。さらに両者の政治哲学には共通性がある。反合理主義的な自由主義――合理主義批判を基礎とする自由主義である点、ハイエクの「市場秩序」とオークショットの「市民状態」とが相補的であるように、主要な概念の照応関係が見られる点、立論の形式と主張内容とに共通のパターンが見られる点である。「合理主義」は「理性」を偏重し、人間の認識や秩序や政治はその「理性」から導かれるべきとする。「理性」に基づく完全な知識を活用して共通の目的を見極めつつ、それを国家権力による強制のもと集団的に追求すべしとの要請が生じる。社会全体を自覚的に統御する志向である。しかし「合理主義」の「理性」観は誤りである。「理性」は万能ではない。人間の認識も秩序も政治も、真実は合理主義的「理性」ではない伝統や慣行、「自生的秩序」に根ざしている。それが本来の実相である。反合理主義的自由主義のこの正しい理解に立つならば、全体主義的社会主義は不可能かつ不当となる。他方、立憲的民主主義に対応する福祉国家論は「市場秩序」や「市民状態」の保全にとって不可欠ゆえに正当とされるが、それが行き過ぎて、大衆民主主義に対応する高度福祉国家論となると、経済への国家権力の不断の干渉や、公的事項たるべき「市民状態」の私物化（公権力を利用しての私益の追求）が生じて、ハイエク・オークショットともどもの反合理主義的自由主義とは相容れなくなる。

さて以上の所説にいかなる質疑や異論が提示されるか。楽しみなところである。

伝統と自由（一）――「中国におけるオークショット」に寄せて

オークショットの国際学会――本書前頁を参照――に「東アジアの文脈におけるオークショット」という部会があって、そこでツァン・リュラン（Zhang Rulun）氏が「中国におけるオークショット」と題する発表を行った。ツァン氏は一九五三年の上海生まれ、復旦大学教授である。著書に『近代中国思想研究』（二〇〇〇年）、『政治世界における思想家たち』（二〇〇九年）など。ツァン氏の発表には、オークショット理解を踏まえての、伝統と自由との関係いかんを巡るラディカルな問題提起が見られた。以下、「中国におけるオークショット」の要約を試みる。

ツァン氏は、筋の通った自由主義者と推認される。中国政府の公式見解を代弁するような型の学者ではない。その自由主義論は非保守的であり合理主義的である。オークショットの保守的で反合理主義的な自由主義と異なる。オークショットの政治観に批判的である。中国の自由主義運動にとってオークショットの理論は非力であり無益であると言い切るほどである。ツァン氏は述べる。――中国ではオークショットの影響力はない。伝統に根ざす自由主義というオークショットの論理が、中国の実情に合わぬという点である。中国においては伝統は専制であり、全ての旧体制は独裁であったから、伝統に依拠しては自由主義・民主主義は実現しない。中国史に民主主義は無く近代中国も（国民党から共産党へと）一党独裁制であった。自由主義・民主主義の理念と制度――普通選挙、権力の抑制、同意による統治、法の支配、多党制、政党政治、自由選挙、政権交代といった事柄――は、普遍的なものとしての政治理論に学び新たに創造するしかない。

「政治理論へのオークショットの態度は、西洋の政治哲学者から社会再編のための課題を得ようと期待する中国人を失望させるだろう。オークショットはこうした中国人を合理主義者と呼ぶだろう。彼らは理想社会を計画しようと専ら奮闘しているからである。もちろん、彼らはまたオークショットの慣習主義や伝統主義や保守主義をも受け入れないであろう。多くの中国人は、自らの伝統を徹底して拒むことによってのみ民主国家を確立できると考える。伝統からの暗示は、立憲制という目標に到達するための有益な何物かを、我々に与えることはできない。正しい政治理論から始めてのみ正しい政治活動を為しうるということだ。……政治的には、近代中国人の大半は反伝統主義者である。彼らは伝統が何か有益な暗示を与えるとは決して信じない。我々の伝統は専制のそれであり、そこから何ら立憲的民主主義は生じないと考えるからである。彼らはまた『伝統的なもの、状況次第のもの、一時的なものに、いつもどっぷり浸された政治』といったオークショットの見解を決して受け入れないだろう。オークショットの慣習主義に共感することは彼らには困難なのである」「多くの中国人はあらゆる政治は歴史に根ざしているとは決して信じない。英米の民主主義は抽象的な理念でなく、英米人の経験の果実たる生活様式や政治の作法であるとは信じないであろう。……西洋人と同じ民族でない限り、我々は民主主義を享受できないということになるからだ。彼らにとって民主主義は西洋史の果実ではなく、結局は世界中で実現されるであろう普遍的理念である。さもなければ我々は民主主義を決して享受できない。これが中国人がオークショットの政治哲学にさほど関心を持たぬ主たる理由の一つである」。

さて、これらをどう考えるべきか。ツァン所説への異論は次頁で展開しよう。

伝統と自由（二）――「中国におけるオークショット」に寄せて

前頁の続きである。ツァン所説の骨子を再説する。――オークショットによると、伝統から政治理論が生まれる。なるほどイギリスの伝統から自由民主主義が生まれた。ところが中国の伝統からは自由民主主義は生まれようがない。中国に自由民主主義をもたらすには、普遍的な政治理論として新たに学び創造するしかない。中国の自由民主主義者にとってオークショットは参考にならぬ、と。

以下はツァン所説への異論である。（重複ないし関連し合う）主要な論点が二点ある。

本稿はその第一の論点を扱う。オークショットの「伝統」は一方で哲学的・抽象的概念である。そもそも「伝統」には自由な秩序を創出し維持する契機があるという。イギリスの伝統を手がかりとしての着想であろう。オークショットの「伝統」は他方で（通常の用法がそうであるように）歴史具体的な概念である。このたびの議論では主として歴史具体的な「伝統」が主題となる。

（歴史具体的な）「伝統」と一口にいうが、事実として事態をありのままに認識すると、「伝統」の内実は多様で複雑であることが見て取れ、当の社会――国家や民族や文化圏――の主な伝統の何たるかを見極めることさえ難しいと知れるであろう。認識する側のイメージの問題もある。「伝統」概念と一体の「民族性」のイメージの曖昧さを、社会経済史家のルービンシュタインはこう記す――中国と日本に対する一般のイメージは、一九三一年から四五年までは日本は軍事的侵略者で中国は平和な農民の国。その二〇年後には毛沢東の中国は狂信的イデオロギーの侵略者で日本は軍隊を放棄した人畜無害の経済小国。一九八〇年代までには毛沢東後の中国は西側ににじり寄り日本は経済超大国として脅威となる。この全期間を通して夥しい文献が書かれたが、それは「その当時に支配的であった、一連の中国と日本の民族性と解されるものの不可避性、および両国の民族性――と文化――の奥深くにある根源を示すためであった」。ドイツは一九世紀初頭には英語国民からゲーテやカントの哲学者の国か平和で勤勉な農民の国と描かれていた。ビスマルクからヒトラーに至る時期にそのイメージは変わった。大戦後のドイツは平和産業に専念する。ドイツ人は生来好戦的だとの主張は今日まず聞かれない。「おそらくこうした事例は、『民族性』やその性格の土台にあるとされる文化は時代によって変わりうるということを示すに過ぎない。しかし、一世代も経たぬうちに根本的に変化しうるとすれば、民族文化なる概念はどのように深遠もしくは真実らしいといえるのだろうか」（W. D. Rubinstein, *Capitalism, Culture, and Decline in Britain 1750-1990*, 1993, p.50）と。

懐疑的に過ぎるかもしれない。政治文化論や歴史社会学の知見からすれば民族性や伝統の概念そのものは有効でありその類型化も可能であろう。それにしても「伝統」の具体例とイメージは多種多様である。民族性や伝統の一つの側面を捉えて、かくかくしかじかの社会の伝統は「自由」と無縁であるとは、早々に断定できない。いかなる伝統にも何ほどかの自由への萌芽はあると推断されよう。「たとえば、ナチス支配を招来し無抵抗理にこれに屈服する心性は、確かにドイツ的『伝統』の全てではないはずだ。インドのカースト制度といえども、通時的に斉一（せいいつ）・不変の単体ではない。『共感の流れ』に応じて絶えず変容と修正を被っている、というのが真相であろう。まこと『伝統』とは斯くの如きものなのである」（拙稿「ハイエクとオークショット」）。

伝統と自由（三）完――「中国におけるオークショット」に寄せて

続きである。民族や国家のいかんを問わず「伝統」は多種多様で可変的である旨を述べた。とすれば、その「伝統」がいかに自由主義とは無縁に見えそうな社会においても「何ほどかの自由への萌芽」はあるとの予測はつく。ツァン「中国におけるオークショット」への異論の第一の論点であった。

伝統の多義性、伝統のうちに自由への契機を認識することに加え、そうした多様な伝統の中から「自由の伝統」を模索し培うべき態度、いわば「自由の伝統」を作る精神と実践という志向が肝要となる。これが第二の論点である。

ツァン氏の説くように、自由主義が（イギリス起源としても）普遍的な政治理論として妥当するとするならば、いかなる相対的な個別の伝統にもその普遍的理論に適する要素が見て取れるはずとなる。「普遍的」との定義からしてそうならざるを得ない。伝統の裡に普遍的な価値の鉱脈を掘り当てようとうする試みが成り立つ。ともに、伝統へのかかる関心がなくては、普遍的な理論をその社会（民族や国家や文化圏）に定着させ実現させることはできない。「伝統」はいかんとも動かしがたい自然現象ではない。特色ある所与の文化や制度がそのままあるべき「伝統」なのではない。その要素は絶えず取捨選択の対象となる。もはや古来ヒンズー教のサティー（寡婦殉死）や古来中国の纏足が廃されているように。伝統の保全は旧套墨守と同じではない。思うがままに自在にというわけにはいかないが「伝統」に働きかけることはできる次第だ。既存の「伝統」の反射的投影でなく「伝統」中のあるものの選別と受容である。「伝統」の再編成、「共感に値するもの」（オークショット）の発見と具体化という構えである。「伝統」に明確な核があり、その周囲にぼやけた領域が広がる。「伝統」内の諸要素の再評価や再生や再解釈を経て、さらには「伝統」の外からの諸要素の摂取や編入を通じて、核心部と周りの領域とが漸次に融合さらには変性を遂げ、しかもなおそれとして一体性を保つ。普遍的たらんとする理論はそのようにして個別具体的な伝統のうちに体現されもしよう。

そして中国である。ツァン氏が断ずるように、中国の「伝統」は専制と独裁に覆い尽くされているかの観がある。自由の思想・文化・制度への兆しは窺えないかの如しである。

しかし、「伝統」の持つ（先述の）多様な性格は中国においても例外ではない。自由主義の契機、体制批判の系譜はある。その泉源は乏しく、その流れは細々と、これまでのところ劣勢と敗北を強いられているとしてもである。近代西洋との邂逅を機としての康有為ほかの清朝末期の開明派の「国民の自由」志向という改革努力、現今の中華人民共和国において「言論の自由」を要請する李鋭氏などの「中国民主改革派」、日本に帰化してその中共一党独裁体制の実態を剔抉し非難する石平氏、当のツァン氏その人。まさにその反体制の人士らの当人自身が当地（中国）の産物なのであり、中国のある種の「伝統」の土壌から生まれたわけである。専制に馴染み、これにひたすら屈従する「伝統」は中国の「伝統」の全てではない。同時に古来より「志士仁人」の人間像が理想として描かれもし、孟子の「千万人と雖も吾往かん」の気概が披瀝されてもきたのである。理想実現の条件の難しさを知ることは、必ずしも宿命論に陥ることではない。「伝統」の然るべき要素を掘り起こしつつ「自由」希求の方途を探ること。それが唯一の道であり唯一の希望でもある。

アクトンと歴史における道徳的判断（一）

ジョン・アクトン（一八三四から一九〇二年）はイギリスの歴史家である。イタリアに生まれ、ドイツで歴史家たるの修業を経て、イギリスの論壇を中心に活躍する。カトリック信徒かつ自由主義者であって、そのゆえにプロテスタントのイギリスからは冷遇され、当時の強権的なカトリック教会とは衝突を重ねた。

アクトンは、歴史上の人物のうちに〝悪〟を見出した時にこれにどう処するべきかという問題を提起した。歴史家として道徳的判断はいかにあるべきか。アクトンは説く、第一に、殺人は普遍的に悪であり、歴史的背景や当時と現在との価値意識の差を理由として、殺人者を免罪することはできない、第二に、歴史上のかかる悪事に対して歴史家は積極的かつ峻厳な道徳的判断を下すべきである、第三に、殺人の実行者のみならず殺人を容認し弁護し正当化し権威づける者も同様の非難に値する、と。

アクトン自身に語らせよう。「神の栄光のためなら嘘をついても人を殺しても良いという理論を根拠にして、是が非でも教皇を弁護しようとする全く尊敬に値しない連中は、この上なく厭（いと）わしく思われる。軽はずみな異端者や不信心者や卑しい犯罪者よりも。魂を堕落させるべく宗教そのものを利用するから」（ドイツ時代の師匠であるデリンガー宛書簡）。

「何人も、さまざまな美徳に対する自己の資格を証明できなかったりできたりという理由で絞首刑に処せられることはない。彼が絞首刑に処せられるのは、彼がある一つの特定の犯罪を犯したことが証明されうるからだ。たった一つの行動が彼の残りの全経歴に立ち勝るということだ。彼が良き夫であり良き詩人であると弁じても詮なき話。［カルヴァンはセルヴェトゥスを迫害死させたことで自らの名声を全く精算した］」「教皇や国王を判断するに際しては彼らは悪を為さないという彼らに有利な仮定を立てなければならないとの貴兄の規範を、私は受け入れられない。何か仮定があるとすれば貴兄のとは違って、権力の担い手にとって不利な仮定、それも権力が増すにつれていっそう不利になるような仮定だ。法的責任は不問に付されても、歴史における責任は免れられない。権力は腐敗するものだ。ましてや絶対権力は絶対的に腐敗する。偉人はたいていいつも悪人だ。彼らが権威でなく影響力を行使する時でさえも。権威による腐敗の傾向または確実性をつけ加えれば尚更である。何より異端的なのは官位に就いていることだけでその人が正当化されることだ。その時カトリシズムの否定者と自由主義の否定者は意気投合して祝宴を催す」「歴史家は様々な誘惑と戦わなければならない。己の生活様式に固有の誘惑、国家・階級・教会・大学・政党・才能の権威・友人の懇願からの誘惑がそれである。これらの影響力の中で最も尊敬すべきものが最も危険である」（イギリスの歴史家クライトン宛書簡）。

「道徳という通貨を決して切り下げるなとか、正確さの規準を決して低めるなとか、汝自身の生を支配する最後の格率によって他人を裁くようにせよとか、歴史が悪に対して課しうる不滅の罰を、何人もいかなる主義主張も免れないようにせよとかの訓戒を垂れる時、大方は異論を唱えるものだろう。情状酌量や減刑のための弁解が絶え間なく為されている。［その挙げ句に］遂には、およそ責任というものが多数者のうちに没入し、どんな罪人も一人として処刑されずに済むということになる」（ケンブリッジ大学就任講演）。

歴史における道徳的判断を巡る不偏不党にして秋霜烈日（しゅうそうれつじつ）なアクトン説の意義やいかに。

アクトンと歴史における道徳的判断（二）

一九世紀ヨーロッパの思想史の一つの主旋律は、一八世紀の啓蒙的合理主義の非歴史的で抽象的な人間観と社会観に対する反発である。ロマン主義は人間や社会における個性や〝一回性〟の観念を力説する。歴史学も各時代における個体性の意義を強調し、実証的史料批判の方法で、かかる個体性の叙述と説明に没頭しようとする。ロマン主義に発する歴史意識の昂揚と表出が、「歴史の世紀」たるヨーロッパ一九世紀の思想の特徴となる。

人間や事物に関わる一切を歴史の相の下で見るこの立場からすれば、時代を超えた普遍的な道徳はありえなくなる。現代の道徳観を以て他の時代の道徳を非難することが不可能となる。近代歴史学の祖たるランケ曰く「各々の時代は直接神に属する」と。アクトンはこのような歴史主義＝歴史的価値相対主義の思潮に異を唱えたほとんど唯一の歴史家である。アクトン曰く「道徳的判断の停止はロマン主義者の特徴だ」「ロマン主義者は過去を理解することを教えた。理解すること、つまり許すことだ」。その反時代性と特異性のゆえに孤軍奮闘を強いられた。「自分の孤立をひしと感じる。私の側に立つ権威者を引用できない」「自分の本質的な倫理的立場において私はまるで孤独だ」と。アントーニは『歴史主義』（一九五七年）の中で、適切にもこう評している。「過去や過去の制度、信仰、事業を肯定し正当化しようと努めるうちに、歴史主義は歴史的相対主義に、原理なるものの一切の懐疑的な解体に、つまりはニヒリズムにおちこみかねない。……歴史主義が説く倫理問題ということについては知られていない。それに気づき、それに悩むのは……アクトン卿だけである」と。

さて、二〇世紀の思想状況である。価値相対主義の精神風土と、その歴史思想への浸潤としての歴史的価値相対主義がなお有力な時代思潮であることに変わりはない。イギリスの歴史家バターフィールドは『ウィッグ史観』（一九六七年）においてウィッグ史観なる歴史解釈のあり方を批判している。ウィッグ史観とは、イギリス史でウィッグ（自由党系）とプロテスタントの側を善の体現者と進歩派の騎手、トーリー（保守党系）とカトリックの側を悪の体現者と反動の徒輩と捉え、歴史を両者の相剋の物語、しかも結局は前者が後者を克服し圧倒していく道行きと理解し、歴史家は輝かしき現在の視点から、ウィッグ・プロテスタント・進歩勢力の側に立って、過去の人物や制度に対し〝歴史の審判〟を下さねばならぬとする態度である。イギリス史に限らず、広く歴史を概括したり通史を試みる時に歴史家が陥りやすい態度であるという。いわゆる進歩主義者流儀の史観、善玉悪玉史観、現在を規準として過去を裁断する史観ともいえよう。

バターフィールドは「アクトン卿においてウィッグ史家はその最高の自覚に達した」として

以下のように批判する。――アクトンは歴史上の人物に対する峻厳な道徳的判断を要請するが、その根底には、歴史家は論争の仲裁者であるべきで、権力が絶えず貶めようとする道徳の水準を維持すべき使命を帯びているとの信念がある。しかし、このような「歴史の魅力ある称揚は絶対的なるものへの近道をあまりに性急に求めようとする理論に思える。……それは、何かしら神の知性まで高められた歴史であり、時代の中で生じた出来事に関して究極的な判断を下そうとする歴史である」と。ではバターフィールド自身の歴史思想とあるべき歴史家像とは。次頁で紹介しよう。

アクトンと歴史における道徳的判断（三）完

バターフィールドによれば、「歴史的説明は……物事をその文脈のうちに見ていく過程に他ならず、それ以上でも以下でもない。……道徳的責任なるものは歴史家が歴史的思考を行う特殊な世界の全くの圏外にある。……おそらくなぜ或る事件が生起したのかとか、どのようにして或る行為がそういう結果に成ったのかを示すことに歴史家が集中するほどに、彼は実際のところ我々の道徳的判断を武装解除させ道徳的憤激への衝動そのものを消し去ってしまうであろう。……歴史家たる者、その真骨頂は叙述することにあるのであって、あの道徳的理念の世界に歩み入ることではない。……歴史家は裁判官でも陪審員でもない。彼の立場は証拠の提出を求められている人の置かれた立場と同じである」（『ウィッグ史観』）。

バターフィールドのアクトン批判に対する反論として三点が挙げられよう。第一に、アクトンは元来の意味でのウィッグ史家ではない。殺人はじめ権力悪の追及において党派を問わないのがアクトンの立場だからである。第二に、アクトン説は平明であるという点である。何か高邁（こうまい）で深遠な理想に照らして歴史上の人物を断罪するのではない。〝殺人至上悪〟を鉄則として非難せよという単純な主張である。歴史家が神の知性を気取る構図ではない。第三に、バターフィールド説そのものに問題が内在している。歴史叙述とその説明こそ実証史家に固有の職分であるとの自制はそれとして有意義ではあるが、道徳的判断はその職権のはるか域外にあるとする論法は首肯できない。およそ人間は（従って歴史家も）道徳的判断を停止するなどということは不可能だからである。大量殺戮を確認した時に非難を手控えるのは〝知的廉直〟ではなく、さながら〝魂なき専門人〟の所業である。歴史家とて裁判官である。誰しも多少とも裁判官であるように。

事の真相はどうなのか。アクトン説の真価が明かされよう。三点が指摘されよう。第一に、人間として道徳的判断は不可避であるという点である。人間的事象に関する判断は、「正しい」「悪い」といった最も基本的で普通の言葉とともに、不断に道徳的な色彩を帯びてしまう。自然現象の記述とは異なる。現代イギリスの思想家バーリンが論じるように、アレクサンダー大王・シーザー・アッティラ・モハメッド・クロムウェル・ヒトラーの行為は洪水や地震・日没・大洋・山脈の作用とは違って、糾弾や称揚の対象となるのだ。

第二に、人間性は基本的に不変で斉一であるという点である。普遍の根本的倫理を前提しつつそれを規準にしてこそ、逆説的にも、時代による価値観の違いが認識できるというものだからである。全てが変化するなら変化という現象そのものを了解できぬはず。

第三に、「理解することは許すこと」（前頁）なる命題に問題がある。悪事を巡る状況を知り尽くすほどに、「行為者はそうせざるを得なかった」と判断される場合もあれば、反面「そうしないでも済んだ」と結論される場合もあるからである。バーリンは述べる「自分自身の行為……を知れば知るほど、ますます自己非難から解放された気分になること必定だと告げられれば、全く仰天する。しばしばその正反対が真理だから。自分自身の行為の辿った道を深く調べるほどに、自分の行為はますます非難に値するように思えてくるし、ますます良心の呵責に苛まれてくるというのが本当でないか」(『自由論』一九六九年)と。「理解することは許すこと」を峻拒すべく「説明し過ぎることに用心せよ、許し過ぎてしまわぬように」と極論するには及ばない。「説明せよ、徹底的に。しかして非難せよ」の一語で足りよう。

ヒューマニズムの来歴と現在

ヒューマニズム（humanism）とは人間中心主義。人間尊重の含意はあるが、もっぱら人間への愛を旨とする人道主義（humanitarianism）とは別物である（勝田吉太郎『民主主義の幻想』（一九八六年）他を参照）。何に対して人間中心かというと神に対しての人間中心主義である。古代ギリシャ・ローマの紀元前五世紀頃から五世紀頃までの「古典古代」がそのモデルであり、そこでは人間の知性や徳性が肯定されている。

キリスト教の出現と普及はヒューマニズムの歴史において一大画期となる。キリスト教的な人間観には両面性がある。一方で神は己の似姿を宿す存在として人間を作り己が創造した万物の支配者と任じた。他方で人間は原初の人間たるアダムとイヴが神に背いたことに起因する原罪を帯びた存在である。キリスト教とヒューマニズムとの関係につき、前者の契機からはその親和性が、後者の契機からはその背反性が導かれよう。

前者の契機の展開した形の現れが、中世以来のカトリシズムの立場といえる。教会と国家が相補的な関係に立つ「キリスト教共同体」の成立とともに、キリスト教の教義と古代ギリシャのアリストテレスの世界観とを統合させたトマス・アクィナスの教説が公式見解として確立するなど。人間と人間社会がそれ自体で敵視される謂われはない。神と人間との条件つきの共存である。と同時に、やはり人間はあくまで神の被造物。人間賛歌も必ずや頭打ちとなる。

それへの反発がルネサンスである。キリスト教以前の（イスラム文明圏を経由しての）古典古代の再興を期する。神を前提しない人間理性そのものの発展可能性への信頼である。さて、その後、（東方教会を除く）キリスト教の内部でも、唯一正統とされるカトリシズムへの異議としてルターやカルヴァンなどのプロテスタンティズムの創出ラッシュが続く。両者の絶え間ない宗教戦争の業火を潜り、宗教なき人間本位の社会への憧憬や構想が生まれる。世俗化の進展である。

神（キリスト教）とヒューマニズムとの関連につき、二〇世紀の初頭においては次の四つの立場が見られるようになる。A．キリスト教信仰に基づくヒューマニズム。現代カトリシズムの主流（トミスムの現代版）である。世俗生活の中でのキリスト教精神の復興を期す。B．キリスト教的な反ヒューマニズム。カール・バルトなどの「危機神学」がその典型である。神の前での人間の無力と罪を強調し、神の絶対性と超越性の回復を志向する。曰く「神は神である」「神を神とせよ」。（新約聖書の愛の神、慈しみ深き神に対して）旧約聖書の裁きの神、怒れる神のイメージである。C．神なきヒューマニズム（世俗的ヒューマニズム）。人間を超える存在を想定しない。人間至上主義である。人間が自制の自覚を欠けば、論理の赴くところ「人間」

の神格化にも通じかねない。コントの「人類教」や無神論的共産主義。その実態は、今や本来の神ならぬ絶対者と神化した「人類」や「プロレタリアート」の名による生身の人間への迫害である。D．神を信じずヒューマニズムでもない。神なきヒューマニズムと通じるところもあろうか。ニーチェ曰く「神は死んだ」、ドストエフスキー曰く「神がなければ全てが許される」。一切が無価値で無根拠との思いから元気な者は能動的なニヒリズムに至るか、無自覚な者は日々の刹那主義に埋没するか。

日本の文脈では神々や諸仏といった人間の諸力を超えた存在を実感し畏敬の念を抱きつつ人間を尊重するか否かという組み合わせになろうか。

「西洋近代」補論

『自由の信条／保守の感性　政治文化論集』（二〇一八年）に「西洋近代と近代日本（一）」と題して小論を載せたことがある。前稿の着想の経緯を述べつつ、そこでの説明の仕方を微修正しようと思う。大意は同じである。

前稿では、「近代」の指標を政治・経済・社会・思想の分野で、君主主権・国民主権・国民国家・議会制・工業化・資本主義（市場経済）・識字率の向上（義務教育や共通語）・人口の増大・身分の平等（市民社会）・民主化・個人主義・世俗化といった現象が見て取れる時代であると規定した上で、その始期について筆者の分類で諸説あるとして古い順から（1）東ローマ帝国の滅亡、（2）ルネサンス、（3）宗教改革、（4）科学革命、（5）フランス革命、（6）産業革命を挙げた。最短二〇〇年から最長五〇〇年の期間である。

この六つの説でどれが最も確からしいかを問う含意がある。そもそもの契機は筆者が京大大学院生の頃。三〇年ほど前のことである。比較政治学の木村雅昭教授の演習でオットー・ヒンツェ（Otto Hintze）『国家と体制』（Staat und Verfassung, 1962）という論文集を輪読していた。受講生は五名ほど。ヒンツェの論攷に、イスラム教のオスマントルコ帝国の興隆とともに東ローマ帝国が滅亡（一四五三年にコンスタンチノープルが陥落）したために「キリスト教西洋が陸路で東方へ進出する道が断たれ、西から海に乗り出さざるを得なくなった。主役はポルトガル、スペイン、オランダ、イギリス。大航海時代の到来とともにアフリカ・南米・南アジアでの植民地建設と資源収奪が厖大な資本蓄積をもたらし後の西洋の覇権の土台となった」（前掲拙稿）との主旨の所説があって、木村教授はこれは見事な解釈だと称賛、「さて君らは（西洋）近代はいつから始まったと考えるか」と受講生に質された。先輩M氏の曰く「フランス革命でしょう」と。先生返して曰く「陳腐な答えやな」と。筆者は「宗教改革でしょう」と力説した。ひとわたり意見を聞き終えて先生自身は「産業革命である」との見解であった。ことさらに論争的な問題設定ということもあって、西洋近代はいつから始まったかとの論題がいかにも面白く、その後あれこれ考えたことを記したものが前稿である。参照すべき典拠としてはヒンツェ前掲書の他、ブルクハルト『イタリア・ルネサンスの文化』（一八六〇年）、トレルチ『ルネサンスと宗教改革』（一九五九年）、バターフィールド『近代科学の誕生』（一九四九年）など。今では同じ問いを試験に出して学生諸君なりの自説の答案を読むこともある。

もとより「『近代』は一朝一夕にして成らず」である。上記の六種の出来事の先後で時代の相貌がそのつど一変するわけでない。先行する事柄が必要条件となって後続の事柄へと継起される。どれが始期かという問題提起は、知的にスリリングではあるが、誤解へと導きかねぬ嫌いがあろう。近代の萌芽から開花を経て結実に至るまで、およそ六つの段階があって、それぞれが「近代」の推進力として働いた。六種の混合・相乗・連動・相関というのが実相であろう。M氏・筆者・木村教授の先記の（5）（3）（6）説などに関しても然り。宗教改革がなければカトリック教会からの分離を経て国教の成立から主権国家の端緒が開かれず、後年の国民主権を宣言しての国民国家の最初の出現といえるフランス革命も起こりえなかったわけであるし、産業革命はそれ以前と以後とで、生活万般に決定的な差異をもたらした出来事ではあるが、それに先立つ科学革命がなければ当然に生起しなかったわけであるから。

「政治倫理規程」について

マックス・ウェーバー『職業としての政治』（一九一九年）に学ぶところでは、政治家の適性と資質は、第一に情熱、第二に洞察力、第三に「結果責任の倫理」である。情熱がなければ一切が始まらない。正義や理想と己の信ずるところを人々に訴え人々を動かし困難をものともせずにその実現のために一途に励む。しかし猪突猛進ではいけない。それは目的実現を阻むばかりである。知性を働かせ冷静な判断を下す必要がある。的確な情勢判断と目的達成のための最善の手段の選択。対象とのAugenmaß（目測、距離感）すなわち洞察力が必須となる。そして自身の行為の動機いかんに関わらず、その行為の予測可能な結果に対して責任を取るという倫理が求められる。なおこれは結果の善し悪しを問わず心情と動機の純粋さのみを重んじる「心情倫理」とは峻別される。

政治家は権力者でもある。法治国家であればその権力は法律に依拠し、職位に基づく公権力として権威あり正統なものと見なされる。それだけにその濫用と私物化は非難されなければならない。さらには政治家がその目的を追求するためにはそれ相応の資力を要する。国会議員に歳費が地方議会議員に議員報酬が支給されるのは、貧乏人でも政治に携わることができるようにとの経済的保証の故である。しかも先述の適性と資質を持つ政治家であるほどにその情熱に燃えて志の向くままに権力を追い求めそうであるし、洞察力が自己利益のための計算高さに転じる危惧も生じそうである。そもそも政治という活動にカネがかかることも見やすい道理である。不当なまでの利益誘導や公金の着服といった誘惑が絶えず働く所以である。

そうした危険を防ぐべく自覚して、健全な民主国家では立法府であれ地方議会であれ「政治倫理規程」を設けることがある。政治家の不祥事が選挙妨害や買収となると公職選挙法の違反となるし、贈収賄となれば政治資金規正法の違反もしくは刑法上の犯罪であって刑罰の対象となり、もはや「政治倫理」固有の事柄ではなくなる。その域には至らないが、政治家が自ら襟を正し、主権者たる国民にその廉潔さや公正さを示せることを期して取り決めた文書が「政治倫理規程」である。

衆参両議院にそれぞれ「政治倫理綱領」と「行為規範」とがある（一九八五年）。前者は一般的に政治倫理の確立の理念を謳うものであり、後者は具体例として企業等との関係での公私混同や利益相反を戒めるもの。さらに両院いずれにも「政治倫理審査会規程」がある。「政治倫理審査会」は議員が「行為規範」等の規定に著しく違反したか否かを審査する会であり、当該の議員に政治的道義的に責任ありと認めたときは、「一定期間の登院自粛の勧告又は役員、特別委員長若しくは憲法審査会の会長の辞任の勧告」という制裁的な処分がある。もっともこの種の「政治倫理規程」はおよそ議員の自制が主意であって、規程に違反したと審査会が認定したからといってその処分に強制力はない。地方議会での「福井県議会議員の政治倫理に関する条例」（二〇〇七年）や「石川県議会議員政治倫理要綱運用規程」（二〇〇九年）のように「議員辞職の勧告」が処分の最大限であろう。当の規程が相対立する議員の間で政争の具と化してしまう畏れもあり、不祥事に対しては次の選挙での有権者の不支持による落選というのが制裁としては妥当と考えられるからである。

二〇一六年に松山市議会でも「倫理規定」（倫理規程）の策定が進行中であることを附言しておこう。

西部邁の自殺

「真正保守」の自任者たる西部邁が自殺した（二〇一八年一月二一日）。驚嘆とともに遺憾の念も異論もある。

西部は種々の理由から自分は死にたいと周囲に明かしていて、同氏が主宰するテレヴィ放送での最近の発言や、『保守の真髄　老酔狂で語る文明の紊乱』（二〇一七年）の「あとがき」での「ある私的な振る舞いの予定日」（の延期）の記述が予示するままに自殺した。具体的に死にたいと繰り返し明言しながら予告通りに実際に死んだ言論人は滅多にいないが、しかと実在したことへの感懐である。ああ、この人にとっては言葉と行いとは一つだったのだと。

西部の自殺の動機は前掲書ほかによると以下の通りである――現今の日本での死とは「病院死」か「自裁死」＝自殺しかない。瀕死者にとって病院は「死体製造（および処理）工場」であり、医師や看護師にとって「人間の死」は「業務上の出来事」に過ぎない。「無益の孤独」と「無効の治療」を強いるのが病院死である。自分は病院死を選ばない、「おのれの生の最期を他人に命令されたり弄くり回されたくないからだ」。介護者に自らの苦痛や不安という醜態を見せることも恥である。配偶者とは運命共同体としての一心同体はあるが、親子間には長期の介護や「看病をめぐるカビナント（盟約）」はなく、他人によるものは「人間の死をめぐる情愛の交換」が少ない。「安楽死」も「尊厳死」も大同小異であり、結局「自裁死」あるのみ。「自分が周囲や世間に何も貢献できないのに迷惑をかけることのみ多くなると予測できる段階では生の意義が消失する」との判断もある。

以下、違和感と批判である。最後の一節。何故そのようなことが判る。この「瓢箪から出た駒」「嘘から出た真」の有為転変の世の中にあって。主観的に過ぎる。保守の感性に適さないのでは。どうせ不如意はなんぴとにも必定の日常茶飯事。最期の不如意を想像上に先取りして元気なうちに自殺しようなどと考える暇があるのか。そもそも人間の生命は仮に長くありたいと念じても精々が一〇〇年ほど。数十億年の生命の歴史で高々一〇〇年ほどの人生、もとより瞬時のひととき、何を勇んで死ぬことがあるか。己の手で決着を付けずには済まぬ己の人生とは、すでにして些か（いささか）の買い被りではないか。生きたくとも生きられず難病や事故や事件で生を終えざるを得なかった数知れずの人がある。公私の区別を力説する西部であるが、佐伯啓思の追悼文の一句を捩れ（もじれ）ば西部こそ「高名な学者」であり「社会的な著名人」ではないか。まさか林檎か蜜柑かで己の好みは蜜柑だという次元ではなかろう。言論人としての何ほどかの影響力と感化力と波及効果を予想する必要があったのでは。己の身の処し方は〝極私的〟ではありえぬ。必ずや何ほどかのメッセージを残す。主体的で自発的な死の選択。それが果たして後世への伝言たるべきだろうか。最愛の娘に対して、俺と同じ条件下に置かれたら、出来れば同様に振る舞えよとの含意なのであろうか。社会科学者として不遇者の立場で考え抜き政策を提言するよりも、現状に絶望して自己一身の実存としての有り様を選んだのであろうか。

もとより自殺は避けるべきとの常識があり、自殺は病の一種だとの（ＷＨＯなどの）共通の了解があるが、それは怯懦（きょうだ）ゆえの通念か、保守の賢慮の致すところか。内なる痛みや不自由ゆえに弱々しいさまを窺わせながらも、なお軽妙に余人を啓発する余力は十二分に貯えられていたのでは。絶体絶命の境地だったのか。何を早々に勝手に見切りを付けて此岸を去るのか。阿呆んだらの言葉で送りたい。

「保守」の映像――一つの比喩

ある思想や運動を説明し尽くすことは難しい。対象そのものが複雑だから。そこで比喩という手法が生まれる。対象の厳密性を多少は損ないつつも、なるべく単純なイメージや言葉づかいで表そうとする。比喩の意義も限界もそこにある。マルクス（一八一八～一八八三）が「科学的社会主義」を説く際に、歴史の発展の原動力として、経済力を「土台」、政治制度や文化体系を「上部構造」と、建造物の比喩で言い表したように。実際には相互往還的であるから、この比喩は不適切なのだが。

さて「保守」主義を比喩すれば――その映像やいかに。トクヴィル（一八〇五～一八五九）の言辞である――西洋での民主主義への進展は必至である。しかも民主主義には「多数の暴政」などの危険が伴う（貴族たるトクヴィルには切実な実感であった）。民主主義の奔流に押し流される小舟の如し。これに逆らうことは出来ないが、何とかかんとか舵を操って沈没を避け、その方向を定めるほどの余地はまだある、と。大勢の不可避性の自覚と、その制御への意識が「保守」の本領であろうか。

オークショット（一九〇一～一九九〇）の「保守」の映像は、出発地も目的地も無いままに海原を進む船。船を沈ませぬことだけが政治の課題と言い切る。

近年の日本。西部邁（一九三九〜二〇一八）は『表現者』（二〇一三年）で、「保守」の有様を綱渡り師の行いに準える。「伝統」は一本のバランスバーのようなものとか。理想の見極めと平衡感覚と漸進主義。綱渡りは「基本的には下を見ると落ちることが多いんです。つまり、現実を見すぎて『現実はなんだ？』『一本の綱である』『えーっ！』となって落ちる。その点、綱渡りは真っ直ぐ前を見るでしょう。真っ直ぐ前は、ある種の理想なんでしょうね。理想なんだけれども、川岸の向こうのことであって、自分の手元にはない遠くにある理想を見ることは見る。だから漸進主義は決して理想を排除することではないんです。しかしそれを主義にまで高めて、理想主義に駆られて綱の上を疾走するが如き愚行はやめましょう、というものとしての漸進主義がある」と。

そして野田の「映像」である。トクヴィルとオークショットに近く西部に遠い。西部イメージは「過去」を見返すなどの時間軸がない。真っ直ぐ未来を見据えて近づくべき「理想」が判るのか。人間世界はそれほど確かか。判ったとして急進は不可として、漸進も思考形式において大同小異ではないか。未来は予測できるが何人にも未知である。個人も国家も人生や国政の先を見越して進んでいるのは確かだが、「先」とは実際には未だない。不確実性や偶然性。予測至難が実情。「理想」も判らず、どこに流されるかも判らぬままに、転覆せぬように進む創意工夫が実態だ。後ろ向きの前進。気楽な比喩で言うと、電車のロマンスシートに進行方向を背にして座る客の如し。パノラマ風に景色が未来から絶えず現在となりすぐさま過去となる。見えているのは現在と過去。未来を窺おうとしても体を捻ってほんの一瞬しか知れぬ。次々と現れる過去の景色と絶えず未来から現在する景色との類推で辛うじて未来を予測し対応する。長期の未来予測は至難。「自分の手元にはない遠くにある理想」とは何ぞ。それが判らぬという諦念に「保守」の境地はあるのではないか。進歩主義者は電車の運転者のつもり。未来を眼前にして進む自負。「保守」の先の比喩は余りに主体性に乏しいとすれば、後ろ向きの舵取りか。前がほとんど見えないなりに右に左に懸命の舵取り。これが「保守」の映像か。

「国体」を巡る和辻哲郎の議論

倫理学者・日本思想史家たる和辻哲郎（一八八九〜一九六〇）による、憲法学者たる佐々木惣一（一八七八〜一九六五）に対する質疑である。「国体」概念への疑義がその主旨である。典拠または参考文献は以下の通りである。①佐々木惣一「国体は変更する」『世界文化』（一九四六年）、②和辻哲郎「国体変史論について佐々木博士の教えを乞う」（一九四七年）『和辻哲郎全集第14巻』（一九六二年）、③佐々木惣一「国体の問題の諸論点」『季刊法律学』第4号（一九四八年）、④和辻哲郎「佐々木博士の教示について」（一九四八年）前掲書、⑤佐々木惣一『改訂 日本國憲法論』（一九五四年）。なお、筆者なりの意見はある——『自由の信条／保守の感性 政治文化論集』（二〇一八年）六六〜七一頁——けれども、本稿では専ら和辻所説の読解を旨とする。

和辻によると、佐々木所説は次の通り——「国体」とは国柄であり、「政治の様式より見た国体の概念」と「精神的観念より見た国体の概念」とがある。前者は「国家の統治権の総攬者」という面から見た国柄のことであり、日本国憲法によって統治権の総攬者が天皇から日本国民に変わった、すなわち国体は変更した。（国体の変更は不要であったというのが佐々木の自説であるが)。更にやがて「社会生活の事実として見るときは……［後者の］精神的観念より見た国体も変更するであろう」と。

以下、和辻の批判である。

第一に、「何人が国家統治権の総攬者であるか」という意味での国柄は久しく「政体」という世界に通用する概念で示されて来ており、「国体」概念は無用である。佐々木は「政体と同じ内容を国体の概念によって言い現わしている」だけである。

第二に、従来、「国体の概念に該当する事実」として、天皇が統治権の総攬者であったことを佐々木は挙げるが、これは明治以後の事実であっても「国初以来の歴史」の事実ではない。要は「明治憲法に表現された国体の事実が日本国憲法において変更するということに過ぎない」。(江戸時代においても鎌倉時代においても)「天皇は数百年の間、国家統治権の総攬者ではなかった」(そもそも統治権を総攬していない者から所謂「総攬者」が変更したまでのことでそれをあたかも劇的変化と捉え曖昧な「国体」の変更と説明するのは不可である。「政体」の語が妥当である)。

第三に、却って「統治権総攬者でないにもかかわらず七百年あるいは千年にもわたって尊皇の伝統を持続したところに、天皇の中枢的意義が存すると見なくてはならぬ」。「政治的には日本国の統一が全然失われていた」時期でも天皇の存在は「日本国民の統一の象徴として」はっきりと意識されていた。日本国憲法に則すると、（まさに日本史の実態がそうであったように）天皇は「日本国の象徴」であり「日本国民の全体意志」たる「主権的意志の象徴」である。「日本国民なるものが統治権または統治権総攬の権を有するものであって、天皇が有せられるのではない」という佐々木の断定は「不可解」である。「天皇の本質的意義」は「日本国民統合の象徴」という点であるが、それは国家の分裂解体の時にも厳存していたから「その統一は政治的な統一ではなくして文化的な統一なのである」。「文化共同体としての国民あるいは民衆の統一、それを天皇が象徴するのである」。

第四に、「国体」概念は「封建的君臣関係と尊皇思想との混淆」を含んでいる――「国民的統一の自覚である尊皇思想を封建的忠君思想によってすりかえるということが、国体の概念の基調をなしている。これは実に多くの害悪を生み出した考え方である」と。

2　文化系

「松山市子ども育成条例案」反対論を批判する

「松山市子ども育成条例案」が市議会で継続審議となった。二〇〇三年、条例案を巡って賛否両論が交わされた。その大多数が反対論である。筆鋒（ひっぽう）鋭く雄弁、圧倒的優勢の感がある。これに対して賛成論は少数。ほとんどが条例案作成に関わった当事者によるもので、本人にとって自明な道徳観を反対論への違和感ともども繰り返し開陳するのみといった趣であり、いかにも分が悪い。

しかし、虚心坦懐に全体を通読して文意を字義通りに汲み取れば、子どもを社会全体で育むことを目的に保護者や市民や市当局の責務を説いた、この条例案の主旨は穏健・妥当・常識的なものと思われる。では、強硬な反対論には一体いかほどの正当性があるのだろうか。以下、それへの批判を試みる。論点は種々あるが、四点ほどを取り上げよう。

（一）条例化は公権力による市民への特定の道徳規範の「押しつけ」「義務づけ」となるとの主張。――しかし、この条例は「一般的な社会規範を再確認するための啓発条例」であって、子ども育成に関わる同種の金沢市や世田谷区の条例と同様に、制裁や罰則の規定はなく、その内容が強制される余地はない。「押しつけ」云々は反対論者の受けた主観に過ぎず、表現として不正確である。

（二）上記と関連して、（郷土愛の発揚などの）特定の価値観を市当局が表明すれば思想・良心の自由を侵害する恐れが生じるとの主張。――否、ある種の思想を宣言したからといって、それに賛同せぬ者の人権を蹂躙したことにはならない。たとえば北見市ほかには「核兵器廃絶平和都市宣言」がある。が、世上には核兵器の存在こそ戦争を抑止するという考え方も有力である。しかし、かかる平和都市宣言が核抑止論を信じる一北見市民の思想の自由を侵害したとは誰も言わない。核兵器論という意見の割れそうな問題についてさえ然りである。まして「郷土を愛する心」や「思いやりのある心」を良しとする思想が掲げられたからとて、誰のいかなる権利が侵害されたというのであろうか。

更に付言すれば、多数者がさしたる反省を経ずとも殆ど当然のように受け入れている信念内容を公的機関が称揚することは、普通一般の行いであるという点である。たとえば、国民の祝日たる「勤労感謝の日」を見よ。「勤労をたっとび、生産を祝い、国民たがいに感謝しあう」この営為に対して、労働や生産の能力にハンディキャップを負う障害者の権利を侵害する愚行だと異議を唱える人がいるであろうか。

（三）条例案の文面に優生思想の色濃い反映を見て取る向きもある。「将来にわたり生きて働く力」を身につけさせる旨の規定が、少数者の排除や優勝劣敗の促進につながるという。また、

「健全育成」のすすめは「心身・発達に障害を持つ子ども」に対して差別感を生む危惧があるらしい。反対に、そうした子どもの障害克服のための周到な配慮を促すように作用すると解するのが自然と思われるが如何。反対論には論理の飛躍、むしろ論理の断絶が窺える。
（四）条例案を「親の養育権限」への不当な介入とする主張。――しかし、子の育成（養育・教育）は純然たる私事ではありえない。世代間の文化の伝達と継承は公的事項であり、公権力の介入の必然性がある。しかも制裁規定なき「啓発条例」に過ぎぬ以上、そもそも「介入」という表現に馴染むかさえ疑問である。

ミス・コンテスト批判に道理なし

理不尽な男女差別の撤廃や、女性の権利保護・地位向上・境遇改善・社会進出の促進は、それ自体望ましいことと考える。とりわけドメスティック・バイオレンス（ＤＶ）やセクシュアル・ハラスメントは女性に対する許しがたい暴力や恥ずべき非行であり、この防止のための施策を求めることは喫緊の課題と思われる。女性の苦痛や窮状を力説するとともに、それをもたらした社会意識や制度に対し厳しく批判を加える男女共同参画推進運動には、その点で大いに意義があると認められよう。

ところが、男女共同参画を強く訴える市民団体の主張の中には、不当と判断せざるを得ないものもある。ミス・コンテスト批判がこれである。それによればミス・コンテストは女性の人権を侵害する催しである（従ってそれを自治体などが支援することは是認できない）。その主要な論拠は次の通りである。――ミス・コンテストは女性の価値を、主に男の視点から見た「美」という外観のみで評価する。これは女性の人格や能力を軽視し、女性をもっぱら鑑賞物ひいては性の対象として扱うものである、と。以下、異論を試みよう。

第一に、そもそもコンテストとは、ある特定の属性に関する競争である。その限りでその他の属性はさしあたり考慮外に置かれるだけである。歌唱コンクールが歌唱力を問う競争だからといって、その分野以外の能力や資質や人格を低く見ているわけでないのと同様に、ミス・コンテストは美の競争だから美という外観に着眼されるまでである。女性内面の人格軽視を示唆するものではない。第二に、容姿の美を競うことはそれ自体なんら不当な行いではない。容姿の美しさは天性と不断の努力とが相俟っての賜。人に快さの感情をもたらし賛嘆の念を生じさせる。たとえばミス・コンテストにおいて脚線美を讃えるのは、マラソンにおいて脚力を讃えるのと論理が同じである。どちらも不道徳ではありえない。第三に、男の審美観が前面に出るからといって、まさか現実のミスコンが猥褻物の陳列場と化しているわけではない。アングルもゴヤもマネも男の画家だが、その作品の『泉』や『裸のマハ』や（同時代に不謹慎と難じられもしたが）『草上の食事』に描かれた女性の容姿ひいては裸体は、性の対象ではなく、何れも男女に共有される普遍的な審美観の例証であろう。ミス・コンテストの女性たちはいうなれば生ける芸術作品である。なお「鑑賞物」なら蔑まれたことになるのか。むしろ女性の容姿なればこそ鑑賞にも堪えうるというもの。女ならではのメリットと捉えれば良いのだ。

このようにミス・コンテストは晴れがましい場ではあっても、決して女性を貶めるものでない。それを「男女平等市民オンブズえひめ」の意見書のように「当該ミスの女性たちに」「ミスに選ばれることがあたかも大変な栄誉であるかのような錯覚を与え」云々と述べるのは、これこそ随分と女性を見下した言い草ではないのか。（冒頭で触れたように）男女共同参画推進運動には、たとえばＤＶやセクシュアル・ハラスメントから女性を守るという真に重要な課題がある。そうした問題を論じる際に、時に激越な批判が為されるのは正当である。けれども、それと同工異曲の批判が、もとより女性の権利侵害といえず、どこに被害者がいるのかも不明なミス・コンテストに向けられるなら、ただ違和感と反感を惹起するばかりではないか。男女共同参画運動の目的追求にとっても逆効果と思われるが如何に。

「女の涙」について

「女の涙」といっても、涙の性質はほとんどの場合、男女で変わりはない。玉ネギを刻んだ時に出る涙、笑い過ぎて迸る涙に男女の差のあろうはずはない。更には、絶えがたい苦痛に苛まれた時や、深い感動に襲われた時には、涙の溢れることがある。これも男女に共通のこと。その点では「真実の涙は男女を問わず心の表現」（女性国会議員有志一同）といえる。

だが、一歩進んで、涙の意味や機能は男と女とで全く同じだとまで断定されると、疑問が生じてしまう。否、経験と観察に照らせば、そのようなことは有り得ぬとさえ思えてくる。「女の涙」固有の特徴があるのではないか。「女の流す涙には『女の涙』がある」ともいえようか（前者はセックス上の女、後者はジェンダー上の女）。

一八世紀フランスの人間通の啓蒙哲学者・ヴォルテールは「男がどんな理屈を並べても、女の涙一滴にはかなわない」と書き、わが国の異色の言論人たる長谷川如是閑は「女子の涙は勝利なり、男子の涙は降服なり」と記した。これらの言辞には、女の涙には何かしらの力があり男はそれに太刀打ちできない、女は泣くことで利益を得ることがあるが男にはありえない等々、といった知見が示されている。実際「あなたのことを思って泣きました」との女の手紙に心動かされない男はいないだろうし、目の前で泣く男に心動かされる女もいないだろう（なお、こうした発言は男から為されることが多いが、だからとて男の偏見とはいえない。涙の力は女にとって自明なので、それを女が殊更に「発見」し記録に留めるべき必要がなかったのだと、解釈できるから）。

やや一般化して、「女の涙は関係の継続、男の涙は関係の断絶」といえるかもしれぬ。女は泣くことによって、逆境を転じて順境と成したり、所期の目的達成を図ることができる。当該の人間関係の継続が前提され、涙はそこでのコミュニケーションの一手段である。ところが、「泣く男は情けない」とされる。その男が泣く時はよほどの時。当該人間関係の破綻を意味する。まこと夫婦喧嘩で男が泣けば事態は深刻である！　男の涙の後にはコミュニケーションは成立しがたい。無論その際、男の涙は制御不能の感情の露出とともに「敗北」の自認と見なされるのである。

政治と戦争とを対比させた場合、女の涙は政治の世界に属する。果てることなく持続する相互関係の中で「弱者の恫喝」を含む一切の手段を動員して営まれる利益の追求。涙はその方途の一つである。男の涙は戦争の世界に属し、しかも当の戦争での無条件降伏を意味する。開戦から終戦まで、始めと終わりがあり決着がはっきりと着く営為における、破局的な結末である。戦争だけに限っても、軍事思想家の石原莞爾が戦争を大別し、武力本位の決戦戦争を「男性的」

と表現し、武力に政治的手段が加わり「細く長く」続く持久戦争を「女性的」と表現しているのは、この点で示唆的である。むろん総力戦の概念のように、あるいは「戦争は他の手段を以てする政治の継続である」（クラウゼヴィッツ）との洞察の通り、政治と戦争とは峻別できない。（冒頭で触れたように）涙に男女の性差なき場合も普通である所以である。

それでも「女の涙」は厳存する。真実そうであるか否かは、読者がたった今人生を始めたばかりの人でない限り、相当に明らかと思われるのだが。

翻案について（一）――浅野温子と『古事記』

神話や伝承文学といったテキストからメッセージを日々これ新たに感受し、あるいは現代（同時代）の価値観や課題意識を反映させせつつ、あるいは受け手（読み手）の才気と感性を通して読み直しては、新たな意味を読み込む。文学芸術の世界にはそうした営為が見られる。「本歌取り」やパロディーなど。時には想像力の赴くままに原作を再解釈し翻案や改作ひいては事実上の新作を試みる。原作の名称や内容が周知であること、原作が一流と認められていること、親しみあること、権威あること、「古典」たるの地位を占めていること、これらが翻案を誘う作品の条件であろうか。汲めども尽きぬ霊感の源泉であるところが神話や民話の真髄であって、多くの優れた翻案がそこから生み出される所以である。二つの事例を見てみよう。小論はその一つを取り上げる。

「語り舞台」――『日本神話への誘い』という演劇がある。浅野温子による朗読劇ふうの一人芝居である。阿村礼子脚本。公式ホームページによると、平成一五年に伊勢神宮からスタートして、平成二〇年までに全国四〇社の神社境内と五ヶ所のホールにて公演された。演目はいずれも『古事記』の内容を踏まえたもので、平成一九年までには「伊邪那岐・伊邪那美～黄泉の国での永遠の別れ」や「天つ神の御子、地上の国へ～高天の原から遣われし者たちの声」といった一二演目の上演を数える。平成二　年の建国記念日には「天皇陛下御即位二十年奉祝愛媛県民大会」（ひめぎんホール）にての記念公演として「天の岩屋戸にお隠れになった天照大御神～月読命の語れる」と「ヤマタのおろち～スサノオの悔恨と成長」が催された。神殿という舞台設定。音響担当が二人。一人で数役すべてを演じる浅野温子は、本を常に携えそれを読み上げているようでもあり、その仕草そのものが演出の一部のようでもある。全体に力強さが張り発声はあくまで明瞭。鬼気迫るかと思えば剽軽（ひょうきん）な味わい。表情と声色の変幻自在ぶり。時に緩やかで時に激しい身のこなし。姿の美しさは言うに及ばず。

　鈴木三重吉『古事記物語』と同様の性や身体部位の表現の婉曲（えんきょく）化については触れない。天照大御神の慈愛とそれを悟った須佐之男命の改心と更生というテーマ設定が、主たる翻案である。この翻案によると、天照大御神が天の石屋戸に籠もったのは生命を賭して須佐之男命の乱暴を戒めるためであり、須佐之男命は己の悪行で天の服織女（はたおりめ）を死なせてしまったことを悔い、許婚者の櫛名田比賣（くしなだひめ）を食らおうとする八岐大蛇を退治した時でさえその生命に哀惜の思いを懐く。泥酔する八岐大蛇の首を切り落としながらその首はそれぞれ大蛇の父と母と子たちであると知り、己の亡き母たる伊邪那美命に思いを馳せ、大蛇の悲しい宿業に同情を寄せる。須佐之男命という神の〝人間化〟を思わせる。流行と不易との気配を合わせ持つモットー〝命の大切さ〟を読み入れているともいえようか。もとより八岐大蛇への慈しみと葛藤というテーマは原作にはない。大蛇はただただ恐ろしい怪物に過ぎぬ。阿村礼子の脚本に明らかに共感しつつ浅野温子は、『古事記』には「おおらかさと厳しさ、情の深さと勇敢さ、人だけでなく動物、一木一草に至るまで愛でる情愛の深さ」や「人間の不完全さと復活力」の教示があると語る（『日本の息吹』二〇〇九年）。翻案は、浅野温子の人間に対する深い理解と、イメージ喚起の力、日本民族への洞察、日本神話の復権を目指す志の高さ、それに自身の優しさの、全ての賜なのであろう。

翻案について（二）完――太宰治の『お伽草紙』

太宰治に『お伽草紙』という作品がある。作者自身の註釈や意見が入る随筆風の短編小説である。「前書き」にあるように、空襲下の防空壕の中で五歳の女の子に昔話の絵本を読んでやりながら「胸中」におのずから「醞醸（うんじょう）」された「別個の物語」を披瀝するという趣向である。「瘤取り」「浦島さん」「カチカチ山」「舌切雀」の翻案である。「桃太郎」を取り上げない弁明もある。「日本一」という旗を持っているような日本一の快男児を自分が描写できるはずがない、と。

「瘤取り」の原作は『宇治拾遺物語』にある。太宰「瘤取り」は末尾での作者の自問自答が出色。この物語には「『不正』の事件は、一つもなかったのに、それでも不幸な人が出てしまった」。ここから「日常倫理の教訓を抽出」するのは難しい。つまりは「性格の悲喜劇というものです。人間生活の底には、いつも、この問題が流れています」と。

「浦島さん」は原作自体に種々の形があるが、江戸時代に編集された『御伽草子』を底本とすると、それは次のような筋立てである。――丹後国の浦島太郎が亀を釣り上げたが逃がしてやったところ翌日、小船に乗った「美しき女房」と出会いその郷里へと誘われ「十日余りの船路を送り」竜宮城に至る。乙姫と浦島は「夫婦の契」を成し、浦島は四方に四季の景色を配したこの竜宮城で三年の暮らしを楽しむが、父母への報告のため暇を乞うに、乙姫は自らが亀の化身であると証し「たとひ此世にてこそ夢幻の契にてさぶらふとも、必ず来世にては、一つ蓮の縁と生れさせおはしませ」と、開けてはならぬ玉手箱を渡す。故郷の様子の変貌（荒廃）に驚いた浦島は七百年の時の経過を教えられ、失望のあまり玉手箱を開けると「二十四五の齢も、忽ちに変わりはてにける」。浦島は鶴となって乙姫たる亀と結ばれ「夫婦の明神」となる、と。現在普及している「浦島太郎」では、（丹後の）浦島太郎が、子供らに苛められている亀を助け、その亀の背に乗って海中の竜宮城を訪れ、「乙姫様の御馳走に鯛や比目魚の舞踊」（尋常小学唱歌）の歓待を受ける。遊びに飽きて暇乞いをする際、開けてはならぬと玉手箱を乙姫から渡される。故郷に帰り着くと元の家も村もなく人も知らぬ者ばかり。「心細さに蓋とれば、開けて悔しき玉手箱、中からぱつと白煙、たらまち太郎はお爺さん」（同前）となる。太宰の作品での原典は子供用の絵本で内容は普及版の通りである。『御伽草子』「浦島太郎」から見れば太宰『お伽草紙』「浦島さん」は翻案の翻案ということになる。亀は海亀のはずだが丹後に海亀はいるのかといった太宰の考証も生まれるわけである。太宰の亀は多弁家で浦島を揶揄したり文明批評に及んだり。竜宮城は静寂で宴会などはなく全ては客人の自由のままである。玉手箱で「タチマチシラガノオジイサン」の結末は、「忘却」という「人間の救い」の賜と解される。「遠くへだたるほど美しい」「思い出」だけが残されるという「深い慈悲」なのである。

「カチカチ山」の兎は色気はないが美人の「十六歳の処女」――「人間のうちで最も残酷なのは、えてして、このたちの女性である」――であり、狸は兎に恋する中年の魯鈍な醜男である。狸の非命は当然の成り行き。狸のいまわの際の一言だけに留意すれば良いと太宰は書く。「曰く、惚れたが悪いか」と。「舌切雀」には『宇治拾遺物語』に雀の恩返しのような似た話がある。太宰版では雀はやはり「若い娘さん」。女の嫉妬が招く災いとの暗示もある。――太宰翻案の自由なイメージの飛翔は以上の如しである。

ルール考――ゲームやスポーツを中心に

ルールの性質と意義について考える。特にゲームやスポーツにおけるルールを論じる。言語や道徳など社会生活一般にルールがあるが、ゲームやスポーツにおけるルールには自ずと固有の特徴も見られよう。

まずルールが存在することそのものに意味がある。ルールがなければ競争がそもそも何の競争でどう勝負が着くのかが判らない。あるいは競争が単なる喧嘩と化してしまう。

ルールは当事者に周知でなければならない。五目並べで先手の黒だけに三三などの禁じ手があるが、そのことを先手が知らずに負けたとすれば不備である。ルールは不変が原則でなければならない。試合中はもちろんシーズン中に変えてはいけない。ルールの変更や新設が必須ならシーズンオフの時に行う。ルールを決定し適用する公式の権威者がなければならない。当局たる協会や審判や。なんぴとも権限なき者はルールを作ったりプレーに対してアウトやセーフを判定できない。

ルールの内容には次のような属性がなければならない。スポーツに関して危険の防止と安全の確保を計るためのものであること、特定の立場の者が始めから有利不利にならぬような公正さが配慮されていること。ゲームそのものを面白くするためのルールもある。サッカーにはオフサイドでのプレーを禁じるルールがある——A軍の選手がパスを出した時、B軍のゴールキーパーとの間に少なくとも一人のB軍の選手がいなければ反則となる——が、そのルールがないと待ち伏せ攻撃が可能になり容易に得点できてしまい興醒めとなる。

ルールは守られなければならないという性質がある。ゲームやスポーツごとのルールやその重要性に応じて、ルール違反に対する措置は何種類かあり程度の差がある。反則への罰則としてプレーの無効化とか減点とか（アメリカンフットボールの）「罰退」とか退場とか。サッカーでイエローカード二枚すなわちレッドカード一枚で退場という如し。ファウルに対しては軽微なペナルティーで、課される処置は比較的に些少な不利益である。対して、それに違反すれば直ちに失格という峻厳なルールもある。将棋の「待った」は即ち「負け」であるばかりかプロ棋士なら制裁処分が下される。罰則ルールの諸相にはゲーム遂行上の見地からする合理性のほか何ほどかの倫理観や美意識も反映されているのかもしれぬ。

リレー競走で「ラインを割って入ってはならない」というルールがある。ある中学校の運動会で各クラス全員（四〇人）による「全員リレー」があった。四クラスの競走である。試合が終わりいったん一位と思われたクラスがそのルールに違反したと判定された。審判の生徒や教師の協議を経て迅速にその旨が告げられ、幻の一位に終わった当のクラスは「失格」を宣告された。その生徒たちは——彼らに動揺の気配が見られたのは当然のこととして——異を唱えず不平の色を微塵も出さず判定に従った。「ラインを割って入ってはならない」とのルールは先述のルールの要件を全て満たしている。徒競走にとって死活的なルールである。迅速な判定と厳正な対処と潔い受け入れとは正しい行いである。たとえばライン割り入りが生じた時点でファウルを取り「罰退」させるなどという措置を取ればゲームの緊迫感は損なわれること必至。事後の「失格」宣告しかない。勝負が切迫するほどにルールは厳正でなければならぬ。ルールの厳正さがゲームの価値を生む。ルールの厳しい制約下にあればこそ、勝つための作戦や鍛錬の創意工夫にも拍車が掛かるというもの。ルールを守る美しさとその上での敢闘精神。悔し涙は明日へと繋がる涙となろう。

ファーガソンの「贅沢」論

アダム・ファーガソンは一七二三年から一八一六年まで生きた、スコットランドの哲学者かつ歴史家である。デイヴィッド・ヒュームやアダム・スミスとともに「スコットランド啓蒙主義」を担う一員である。勃興しつつある商業社会や市場経済や市民社会を、種々の留保を設けつつも、すぐれて文明の所産として高く評価するのがこの学派の特徴である。ファーガソンの場合は殊に、それらと古代ギリシャ・ローマ以来の政治的美徳や公共精神との両立可能性いかんが関心の焦点となっている。後者を損なう契機がある限りで前者は批判されるのである。その主著の一つに『市民社会史論』（一七六七年）がある。六部構成で各々数節からなる。第六部「腐敗と政治的隷従について」の第二節「贅沢について」を見てみる。この一節には論点そのものの面白さとファーガソンらしい論じ方がよく表れている。以下、つとめて著者の言葉遣いを活かしつつ紹介を試みよう。

――「贅沢」には両面性がある。「時にはそれは、文明さらには幸福に必要と考えられる生活様式を指して用いられる」。「それは技芸の親であり、商業の支えであり、国家の偉大さと富裕を司る」。他方で「それは腐敗の源であり、国家の衰退と滅亡の前触れである」。「贅沢」は「称贅されもすれば非難されもする。お洒落で有益と扱われることもあれば、悪徳として禁止されることもある」。

まず、世上の「贅沢」批判は往々にして根拠に乏しいとされる。「贅沢」の擁護論である。

――「贅沢」批判の系譜がある。スパルタ人は「贅沢」のもたらす軟弱さを防ぐため技芸そのものを禁じて、建築家や大工に（鑿や鉋は許さず）斧と鋸しか使わせなかったという。けれども厳格な道徳家たちによる「贅沢」批判は得てして、当人の時代ないしその直前の生活水準を基準としているに過ぎぬ。時代によれば馬車に乗ることや靴を履くことが「贅沢」と咎められよう。牧師たちは若者の新式のファッションを叱る説教を垂れてきたものである。しかも、このような反「贅沢」論は文明人のみならず（贅沢とは無縁そうな）野蛮人からも聞かれるという、曰く「我等の父祖たちは、この岩の下に己の住処を見出した。森の中で己の糧を集めた。泉で己の渇きを和らげた。己が仕留めた獣の毛で身を纏った」が「自然がもともと生み出さぬような果実をこの地上から求めた」我等は「父の弓」も引けぬほどに弱くなってしまった、と。実際、各々の時代の技芸の程度の種々相を考えれば、「贅沢」と悪徳との相関性はない。高級なリネンを着る者や着ない者、野宿する者や宮殿に住む者、身を飾る者や服装の質素な者、それだけではその者の性格の善悪は判らない。

「そうすると、厳格家の憂慮は、いかなる時代でも、ひとしく無根拠で非合理なのであろうか」。

否である。「贅沢」には問題点も厳存する。高級な住居や料理が「自身の人格や祖国や、あるいは人類よりも優先させられるようになる場合」「取るに足らぬ区別や些細な利点を褒め上げる場合」「小さな不便を避け自らの義務を力強く果たせない場合」には常に人間は過ちを犯すのだ、と。「この主題に関しての道徳の効用は、ある特定の種類の住まいや食事や衣服に人々の生活を限ることではなくて、人々がこれらの便宜を人生の第一の目的と見なすのを防ぐことにある」。スパルタの「贅沢」禁令は公共への献身を促す主旨でもあった。

「贅沢は敵」か「贅沢は素敵」か。——「贅沢は素敵」ではあるが、それが至上の目的と転ずるや、「贅沢は敵」となるようだ。

アダム・スミス『道徳感情論』から

アダム・スミスは一七二三年から一七九〇年まで生きたスコットランドの著名な思想家である。経済学の祖と称される。主著は『国富論』（一七七六年）と『道徳感情論』（一七五九年）。ともに大部の著作である。小稿が扱うのは『道徳感情論』全七部のうち、わずかに第一部第三編第一章に関してである。「喜びへの共感」と「悲しみへの共感」との相違がテーマである。

第一章の標題は“That though our sympathy with sorrow is generally a more lively sensation than our sympathy with joy, it commonly falls much short of the violence of what is naturally felt by the person principally concerned”である。最も普及する水田洋訳『道徳感情論』（岩波書店、二〇〇三年）の訳文は次の通りである。「悲哀にたいするわれわれの同感は、一般に、歓喜にたいするわれわれの同感よりも、いきいきとした感動であるのに、主要当事者によって感じられるもののはげしさには、はるかにおよばないのがふつうであること」（一一二頁）と。その違和感ある日本語表記を措くとしても、文字通りにはその通りであるが、そのこと自体は自明でもある。水田訳を尊重するに、「主要当事者によって感じられるもののはげしさには、悲哀にたいするわれわれの同感の方が、歓喜にたいするわれわれの同感よりも、はるかにおよばないのがふつうであること」というのが真意であり、そこにこそ妙味がある。同書一一八ページも同様。比較の対象は、あくまで「喜びへの共感」と「悲しみへの共感」なのである。全体の主旨に関わる論点である。

スミスは以下のように論じる。――順境下にある当事者の実感と、それを見て観察者が抱く「喜びへの共感」とは同程度のものではない。当事者の実感の方が強いはずだから、観察者の共感との間には隔たりなり距離がある。逆境下にある当事者の実感と、それを見て観察者が抱く「悲しみへの共感」についても事情は同じ。肝要なのは、前者の隔たりよりも後者の隔たりの方がはるかに大きいという事実である。たしかに「悲しみへの共感」は普遍的で明瞭ではある。しかし、「喜びへの共感」の方が「悲しみへの共感」よりも強く、当事者の実感にも近い。スミスによれば、一定程度の幸福――健康であるとか借金を抱えていないとか心に疚しいところがないといった事――は人類の（従って観察者の）自然で普通の状況である。その状況と至福との隔たりは小さく、その状況と悲惨のどん底との隔たりは大きい。後者の方が前者よりも、当事者の実感と観察者の共感との距離は遠い。感情移入しにくいのである。しかも、こうした事情は観察者にも当事者にも理解されているという。観察者にとっては、「悲しみへの共感」よりも「喜びへの共感」の方が表現しやすい、実際、処刑や葬儀の場での悲しみの表現は、洗礼や結婚における喜びの表現よりも控え目ではないか、と。当事者も観察者の「悲しみへの共感」が難しいと判っているから、自身の悲しみの表現を抑えようとする。その思いやり――いわば思いやられて然るべき立場の人の思いやり――が観察者に伝わる。逆境の極みにある当事者が快活に振る舞うことが、観察者に感銘を与える所以である。カエサルの降伏勧告を断って自決したカトーの如し。アテネの法に従い、悲嘆に泣く弟子たちの中で陽気に毒杯を仰いだソクラテスの如し（反対に己の逆境下に悲しみの実感を露わにする者は軽蔑されるとの厳しい見立てもある）。

二〇一一年の豪雨による土砂崩れで妻と娘を失いながら、気丈に公務に専念した和歌山県那智勝浦町長の振る舞いが感動を呼ぶ理由はそこにある。時代の種々相を超えて通有する人の心の働きであるようだ。

チャットモンチーを讃える

チャットモンチーは日本のロックバンドである。メンバー全員が女子。以下、公式ガイド風の解説と、一ファン――これまでライブに六回行ったことがある程度のファン――としての私見とが入り混ざった小文である。

メンバーは橋本絵莉子と福岡晃子と高橋久美子。橋本と福岡は一九八三年生まれの徳島出身、高橋は一九八二年生まれの愛媛出身。高校と大学とで三者が出会う。徳島を中心にバンド活動を続け、二〇〇五年にミニアルバム『chatmonchy has come』でメジャーデビュー。二〇〇六年にファーストアルバム『耳鳴り』を、二〇〇七年にセカンドアルバム『生命力』を、二〇〇九年にサードアルバム『告白』を、二〇一一年にフォースアルバム『YOU MORE』を発表。激しく世上に自己アピールした『耳鳴り』、娯楽性をも意識した『生命力』、最もバランス良く完成度の高い『告白』、新境地を模索する『YOU MORE』という感じである。

チャットモンチーの一番の特色は、曲作りを全て自前で行う点にある。各人ともに作詞する。恋愛の表現は福岡の、色彩豊かな絵画的な詩は高橋の持ち味である。作曲は橋本。そうして成った曲を更に三者がアレンジを加えながら自ら演奏する（アルバム前三者はプロデューサーの助力も借りたが四作目は全曲セルフプロデュースである）。三者の連携がもたらす個性の絶妙な融合と相乗効果。パーツの基本は、橋本はヴォーカルとリードギター、福岡はベース、高橋はドラムである。橋本はホンワカした風合いで〝不思議ちゃん〟系、福岡はひたすらカッコ好く、高橋はウィットに富み能弁。女の子らしく可愛い小さなバンドである。ところが一たびオンステージとなると、わずか三人のガールズバンドが奏でる音とは思えぬほどの迫力！　ベースの重低音にドラムの速射砲、ヴォーカルの高音域の大声量。ロックを基調としつつもポップ調ありブルース系あり。静けさと激しさの交互作用。その快いギャップ。二〇〇八年三月三一日と四月一日の日本武道館にて。自作の『恋愛スピリッツ』の出だしを独唱する橋本。しんと聴き入る満員の一万四千余人。かつは全会場が跳ね上がるようなノリの『ハナノユメ』や『風吹けば恋』。

そのチャットモンチーに近時、一大危機が訪れた。二〇一一年九月の高橋の脱退である。ロックバンドにとって存続可能なメンバー数は、斯界（しかい）の常識からすれば三人である。一九六三年に結成されメンバーが変わりつつも今なお現役のロックバンドたるザ・ローリング・ストーンズも、ヴォーカルのミック・ジャガー、ギターのキース・リチャーズとロン・ウッド、ドラムの（二〇二一年、故）チャーリー・ワッツの四人である。高橋が辞めるとはドラムが抜けるということであり、バンドとしては新たなドラマーを得るまで活動休止、それが出来ぬなら解散を余儀なくされる局面である。ところが、高橋を失ったまま、チャットモンチーは所定のツアーを敢行（仙台、名古屋、大阪、東京）。一二月四日のＺｅｐｐ Ｔｏｋｙｏにてのライブに行った。何と二人のみ。本来はベースの福岡がドラムを担当し、橋本が時にベースをも担う構図であった。福岡はさる先輩格のドラマーにドラムを習いながらのツアー。しかも、その難事をユーモラスに語る心意気。もとより聴かせる演奏。二人きりのロックバンド成立という奇跡。まさに不撓不屈の精神の為せる業である。

チャットモンチーに魅力を覚えられた向きには、さながら〝百読は一聞にしかず〟。言及した作品の他、『ツマサキ』『東京ハチミツオーケストラ』『親知らず』『世界が終わる夜に』などを聴かれますように。

アラン『幸福論』への疑問

アラン（エミール・シャルティエ、一八六八〜一九五一）に『幸福論』（一九二五年）という著書がある。地方新聞に連載したコラムのうち「幸福」を主題とするものを集めた一書である。一九二五年の初版では六〇編、一九二八年の第二版では九三編。後者が普及版である。「哲学を文学に、文学を哲学に」変える「フランス散文の傑作」とか、「世界中で最も美しい本の一つである」（アンドレ・モーロワ）などと称賛されている。我が国では一九四〇年の初訳を含め八種類の翻訳があるという。関連する解説書も数多ある。二〇一一年一一月にはＮＨＫテレビテキストとして使われもした（合田正人「アラン『幸福論』」）。身近な事柄に言寄せて具体的に判りやすく、かつ小粋に「幸福」を論じる。魅力ある逸品である。

以下、アラン所説への些かの異議を含んでの無粋な批評である。アラン『幸福論』の前提についてである。アランは述べる、自分が言うのは「重大な理由もないのに不幸な人たち」であって「本物の不幸」については書いていないと（初版の献辞）。その上での「見かけの不幸」を巡るアランの見立て――診断と処方箋――は、概ね次の通りである。1．心身において身体を重視せよ、体を動かせ。2．想像力の過多が不幸感を生む。3．我執を離れよ。4．気の持ちようが肝腎、病は気からという。５．幸福を積極的に志向すべきこと。６．幸福になる義務がある、人に幸福を広めること。等々。たとえば、苦痛は常に現在の現象に過ぎぬのに想像力で未来へとそれを引き延ばしたりして自ら不幸を作り出す心模様などを、アランは描き出す。

しかし第一に、そこで例示される人々――アルコール依存症や失語症や抑鬱病や腎臓結石の患者ほか――の不幸には「重大な理由」はないのだろうか。処刑場に引かれる途中の囚人とて、道道の景色を見て気を紛らわせているかもしれぬから余人が想像するほど不幸とは限らぬとの所見やいかん。処刑を迎える者の不幸さえ「本物の不幸」ではないとは。

第二に、そもそも「本物の不幸」、「正真正銘の不幸」とは。合田氏は東日本大震災を挙げながら「病気や事故で死が迫っていたり、身内が亡くなったり、どうしようもない損害を被ったりといった、回避できない重大な不幸」と敷衍（ふえん）するが、アラン自身は具体例を示していない。「直接見舞う不幸」（「頭上にふりかかる不幸」）との言い回しがあるのみである。

第三に、自分は（それが何であれ）「本物の不幸」には触れぬとの構えが問われよう。「本物の不幸」問題は、人知の及ぶところではないとか、もはやよく語り得ぬ実存の領域に属するからとの理由で、あえて沈黙するというのなら、それは一つの見識ではある。そうでなくアランは「そんなものはストア派にまかせておく」と放置する。自身の苦痛への全（まった）き無関心がその解消策であるとの示唆であろうか。そのものの前提を見極めた上での主題の限定と解明という営みが哲学の証だとすれば、アランの議論は（讃辞の文言中の）「哲学」として不足がある。

第四に、アランが取るべきだった立場、アランが論ずべきだった主意とは、以下のようであったかもしれぬ。実は「本物の不幸」をも含めて、およそ不幸には「病は気から」の性質があるのだと（上記1から6までのように）。「本物の不幸」も気の持ちよう！　論理の一貫の末の極北を見据える業が哲学、違和感ある極論は世間一般には危ういと察知しての垂訓が処世訓。アランの本分は後者である。

『永遠の0（ゼロ）』の原作と映画を評す

解説と批評である。フィクションの作品には「ネタばらし」禁止ともいうべき通則がある。原作本の解説文や映画の広告文の内容以上に勘所に踏み込む記述は避ける。原作は百田尚樹『永遠の0（ゼロ）』（二〇〇六年）。文庫本の実売部数で歴代一位である。それでも相当数の未読者の存在を前提せねばならぬ。たとえば夏目漱石『坊ちゃん』の筋書きや結末部を周知の事柄として論じるのとは事情が異なる。映画については封切り（一二月二一日）前の試写会による所見ゆえ尚更である。

荒筋は以下の通り――時は二〇〇四年、二六歳の健太郎と三〇歳のその姉の慶子とが、祖母の松乃の死を契機に、特攻隊員として戦死した実の祖父＝宮部久蔵の実相を知ろうとする。自らのルーツの探求でもある。血のつながりがあると思われていた祖父＝賢一郎の健在と、母＝清子の遥かな回想、そして何よりも宮部の生き残りの戦友たちへの取材から得られた証言が、その手がかりである。父＝清子の夫は　〇年前に病死している。かつての戦友たちによると、宮部は零戦搭乗員として技量抜群であったが、生き延びたいとの言行で際立ってもいた。その本人が何故に「十死零生（じっしれいせい）」の特攻隊員として命を散らしたのか。その答のうちに松乃・宮部・

清子・賢一郎を巡る大いなる自己犠牲と愛の真実が開示される。

　むろん原作と映画とでは表現形式が違う。後者には一四〇分という時間の制約がある。原作では、元戦友の回顧の中で大東亜戦争の推移――真珠湾からミッドウェー、ガダルカナル、サイパン、フィリピン、沖縄へと戦局の悪化――の史実が、実在の人物の逸話を織り交ぜつつ（後年の戦史研究の知見を読み込んだような台詞とともに）語られるが、映画では簡略化ないし省略されている。また原作での慶子の結婚の葛藤という話柄は、映画では割愛されている。しかし総じて見ると、映画は原作の要諦を忠実に跡づけて描出している。原作に溢れる祖国や家族についての豊かなメッセージは、映画においても見事に展開されている。原作も映画もともに逸品と評して間違いない。

　その上で映画に関して若干の不満がある。戦場ないし戦闘シーンの映像に難点を覚えるのである。監督はＶＦＸ（視覚効果）の手腕に優れるとされる山崎貴。記者会見で山崎は「こういった映画は必然的にＣＧのシーンが多くなるのですが、内容が内容だけにＣＧっぽさが出てしまうと興ざめしてしまうおそれがあったり、戦争に対して失礼になってしまうと思いましたので、出来るだけリアルに描くことを心がけました」と語りつつ「本物を作ったのではないかと思えるぐらいリアルなシーンを作ることが出来ました」とその成果を自負している。が、ＣＧ使用のまさに危惧が現れたように筆者には思われた。当の場面だけ外から嵌め込まれたかのような違和感、シューティング・ゲームを思わせるような異物感である。あるいは戦争経験者の記憶の再現とともに、聞き手の〝平成青年〟の想像の所産としての意味合いをも含ませての仮想らしさの演出なのであろうか。ともあれ、たとえば映画『トラ・トラ・トラ！』や『男たちの大和／YAMATO』の戦闘シーンと比べると、その臨場感や迫真性において明らかに見劣りするのだ。

もっとも、こうした欠点らしきものに関わらず、映画全体の真価は根幹において何ら揺らぐことはない。本作品は疑いの余地なく推賞に値する。拙文の先入観など一顧だにせず、虚心に鑑賞されんことを願う。

「ユダヤから日本」論の真偽（一）

「ユダヤから日本」論――ユダヤ（古代イスラエル）は日本への文化形成に影響を与えたとする議論――の系譜がある。これを唱えるユダヤ人の論客たちには敬意が表れており、その内容は真摯な検討に値する一面がある。小文は、ユダヤ教のラビ（師）であるマーヴィン・トケイヤー（一九三六年〜）の言説を参照して、その要約に努める。

「ユダヤから日本」論の主旨は概ね以下の通りである。現象の例示と、その説明としての史論とから成ろう。

（一）こんにち慣れ親しんだ常識的な生活の事柄について日本は古代ユダヤと似ている。二点ほど。①日本の神社とイスラエルの幕屋は酷似していること、②日本神道の風習は古代イスラエルの風習に酷似していることである。具体的には次の通り。

①神社の本殿には幕屋の至聖所ともちろん同様に偶像がない、鳥居・手水場・拝殿・本殿と門・洗盤・聖所・至聖所というように神社と幕屋とで構造が一致している、御輿と「契約の箱」との意味と扱われ方が酷似している、神官と祭司の服が似ている、お祓いや供え物がそれぞれ似た形で存在する、等の諸点である。

②清めに水や塩を用いる、死者の汚れという観念や女性の月経と出産の血の汚れという観念が存在する、神の数え方を「柱」と呼ぶことがユダヤの祭祀の「石の柱」を思わせる、宗教的な黒い箱を額に着ける民族は日本人（山伏）とユダヤ人だけである、正月行事における餅と種なしパンの役割が似ている、盆や盆踊りに似る行事が両者にある、結婚式で神前で新郎新婦が酒を酌み交わす儀式がある、靴を脱ぎ足を洗う習慣がある、等の諸点である。

（二）神道は古代からの日本の伝統である。上記の現在の諸事実は古代においてユダヤから日本への文化の伝承があったことを推察させるではないか。実際、古代イスラエルと古代日本には様々な類似点があるという。日本の神々はバアル宗教の神々に似ていること、『聖書』（キリスト教の位置づけでは『旧約聖書』）の物語と古事記・日本書紀の神話とにはヤコブとニニギノミコトを中心に対応関係が見て取れること、日本神話はユダヤ教にバアル神やギリシャ神話といった異教的要素が加わったものと推察できること、「大化の改新」の詔はトーラー（律法）に似ていること、皇室の菊の紋はユダヤにもあること、伊勢神宮のカゴメ紋と「ダヴィデの星」は日ユで同一であること、等々である。

紀元前七二二年に統一国家の分裂後のイスラエルがアッシリアに滅ぼされ、その一二支族中の一〇支族がアッシリアに捕囚された後に行方不明となったという史実がある。拡散されて東遷した痕跡はアフガニスタンやインドや中国に残存するという。まさにその東の果ての地が日本であったと。紀元前五世紀のギリシャの絶頂、縄文時代の終わりから弥生時代の始まりが紀元前三世紀、三世紀に大和朝廷の成立、六四五年の大化の改新、七一二年の古事記の完成、七二〇年の日本書紀の完成という時系列を照合すると、時期的には矛盾しないのである。なお「ユダヤから日本」論には、日本語とヘブライ語が類似している——カタカナとヘブライ文字は形も発音も似ており言葉によっては音声と意味の附合も窺えるとの所見がある。早くとも二世紀以降に伝来した漢字の一部がカタカナとなった——漢字以前に日本固有の文字は無かったとの通説に異を唱えて、当該論者は、実は日本にはヘブライ文字状の文字が既に存在していて、その音に似た漢字からその文字に似た一部を加工してカタカナを作ったのだと推論する。

かかる「ユダヤから日本」論の真偽や当否はいかに。次頁は批判的考察が主となろう。

「ユダヤから日本」論の真偽（二）完

ユダヤの精神は『聖書』に見られる。日本の精神は自民族だけに実感として十分に了解されうる。トケイヤーが詳述するように、古代ユダヤと日本とで酷似する点はある。そうした相似る諸要素は、偶然に遠隔地間に同時期に出現したのでないとすれば、古代ユダヤを起源として日本に伝播したものと推認されなくはない。付言すれば、ユダヤ民族の一体感と万世一系の皇統観も似てなくもない。民族存立の危難に際して発揮される自己犠牲の気概も彼我に共通するか。『聖書』の「知恵の書」や「シラの書」や「雅歌」での処世訓や男女の相聞の語らいには、民族を超えた通有性も感じられる。

しかし、『聖書』の全体に窺えるユダヤの精神は、日本の精神と根本的に異なると判定せざるを得ない。ヘブライ語と日本語で肝腎の文法はあまりに隔たる。『聖書』は「律法」「歴史」「諸書」「預言」に大別される。唯一神エホバによる天地創造から始まり、神の意図がユダヤ人に託されつつ実現されていく。倫理と歴史と文学に富む一大宗教書である。アダム、カイン、アブラハム、イサク、ヤコブ、ヨセフ、モーゼ、ヨシュア、ダビデといった人物が預言者として、それぞれ神の召命を受けつつ、その使命が託される。ユダヤ民族の苦難の行路が予示され、しかも神への信仰と律法を守る限り、遂には勝利と幸福が恵まれるとの希望が約束される。エジプト捕囚から出エジプト、カナーンの地への帰還と、イスラエル統一王国の建国と分裂など。

その本質は、全編を通じて強調されるエホバ神の唯一絶対性である。それへの疑義は許されない。神はアブラハムにその子イサクを生贄として捧げるよう命じたり、義人たるヨブを虐待してその信仰を試したり。多神教は断じて不可であり異教徒との共存はありえない。ユダヤの信仰が揺らぐと見るや、エホバは容赦なく怒り嫉む神となる。詳細を究める律法（戒律）の厳守が必須である――安息日に薪を集めていた男が処刑される挿話がある。神の行いは理不尽ではない。神だけが理の創出者だから。神は希望の約束を違えない。そう見えるのはそのような試練を神自らが与えているわけだから。神には絶対の帰依あるのみ。異教徒に対しては殺戮・略奪・殲滅を指示する。「レビ記」「ヨシュア記」「士師記」など。凄惨な掃滅の様がしばしば嬉嬉として語られる。統一イスラエルでのユダヤ人の偶像崇拝への堕落に対してはやはり苛烈な一掃・排除を以て応える。「サムエル後記」など。かつは選民意識を持して一切の妥協を排して苦難を耐え忍び撥ね除けつつ律法の遵守を貫くといった自信はユダヤ人の今日に至る優秀さの原動力ともなっていようが。

酷薄と「慈悲」とが予測しがたく表裏一体であるような神のイメージは、日本的な神観の典型ではない。日本は八百万の神々が時に相剋しつつも共栄する国柄である。エホバの神に懐かしさを覚えぬ。日ユの共通性を述べようと、日本神話に多神教的要素が見られるのも古代ユダヤと同様であるとするトケイヤーの説明は苦しい。ユダヤの精神は一神教の堅持と多神教の圧殺であり、日本の精神は一神教が芽生えぬままの多神教同士の共存だからである。ユダヤの心性は遂には継承されず。「真理」の貫徹に対して共生と寛容の心である。古代から現代にかけて伝統化するに至った日本文化は、ユダヤに限らず、それ以上に中国やインドの影響を受けており、多種多様である。神道の清浄さも浄土の絢爛も日本人の心に適う。日本の宗教人口は人口実数より多いという周知のデータがある。一人あたり大抵は神道と仏教という複数の宗教を信仰している。仇敵や朝敵の霊さえを神として祀る習俗もある。一神教の基調は無いに等しい。ユダヤから日本への影響関係は推知されるものの、その精神の展開においては彼我は正反対と言い切れるであろう。

ラジオに寄せて

脳神経外科医の板倉徹に『ラジオは脳にきく』（二〇一一年）との好著がある。テレビ、パソコン、ケータイ、スマホといった視覚情報ばかりでは脳の機能が萎縮する。ラジオは聴覚情報のみであるから、それを聴取して理解しようとすれば想像力を駆使せねばならぬゆえに自ずと脳が活性化される。もっとも、視覚情報の中でも文字情報たる書物や新聞記事を読み取るには想像力の働きを要する点でラジオと同様であるといった主旨である。

落語も然り。立川晴の輔は（二〇一六年一一月八日にある中学校での講演で）曰く、落語を楽しむには漫然と「聞こえる」状態ではいけない、落語は情景を想像しつつ意識して「聴く」構えにならなければならない。すると噺家一人が扇子一つほどの道具で語っているだけなのに当の場面や展開が生き生きと現前する、と。

五感のうち、良き人生のためには味覚も触覚も嗅覚も欠かせはしないが、情報の伝達と受容あるいはその媒体（メディア）にとって死活的に重要なのは視覚と聴覚であろう。何れかに損傷を被ることの不自由を思えば諾なるかなである。

視覚情報に関して。読書、美術鑑賞には逞しい想像力が必須であるが、なるほどテレビのように、見るなりにそれこそ見ての通りに直ちに情報が表出するメディアなら、脳の積極的な活用は不要かもしれぬ。聴覚情報に関して。音楽鑑賞には音に対する快感とともに聴き取ろうとの脳の前向きな働きを要するであろう。ちなみに視聴覚を総動員して美や思想のメッセージを送ろうとする演劇は特異な芸術かもしれぬ。

回想だが、大学受験浪人時代、毎日放送の深夜ラジオ『ヤングタウン』を聞きながら勉強していたものだが、（この「ながら」勉強が脳に良いとの板倉の所説にも学びつつ）なるほど、あの頃はそんな感じで、なかなかに頭が働いていたのかなあと、面白く思う。

H・G・ウェルズの小説『宇宙戦争』（一八九八年）がラジオドラマとして一九三八年一〇月三〇日にアメリカで放送された。宇由人が地球すなわちアメリカに攻め込んできたという内容を実況中継さながらに仕立てたフィクションであるが、これを真実と信じた聴取者から不安が噂として拡散し、恐怖からその場を逃げ出そうとする群衆の騒擾（そうじょう）となった（なおこの一件の事実認識に関し異説もある――松田美佐『うわさとは何か』二〇一四年）。このマスヒステリーに関して大学院時代の先生の高坂正堯の所感が思い出されもする。――音声のみのラジオの方が映像媒体のテレビなどより目に見えぬぶん想像力に訴えるだけに、恐怖心の発生や増幅や伝播という点で効果があったのだろう、これがもしテレビならパニックは起こらなかっただろうとの批評である。脳神経学の知見にも適う所見であったことになる。

このたび筆者はラジオで語る（二〇一六年当時）。「南海放送」の『心にプラスワン』。一二月一二日から一五日までの四回。一一時四〇分から四五分まで。翻訳とは何かとか、文系と理系の違いとか、政治とは何かとか、もともと視覚情報として提示しにくい話題であるし、要は聴覚メディアであるラジオの放送ゆえ、聴いてくださろうという方には想像力の働きを強いることになる。もっとも想像力とともに能動的に聴取すべき内容か否かは定かではないが。

視覚情報系であれ、聴覚情報系であれ、媒体としての性質のみならず、その真価は媒体される当の話の内容いかんであるということは、言わずもがなの前提である。

「人生二度なし」考

「人生二度なし」。宗教を前提しなければ、経験上これまでそうであって、現にそうであり、これからもそうであろうように、それとして常識の命題である。人生を二度送った人は絶無である。

さて、この言辞は哲学者にして教育家の森信三（もりのぶぞう）の名言である。昭和三六年（一九六一年）に職業訓練所の生徒に向けて行った講演の題目でもある（『人生二度なし』一九九八年）。――竹刀剣術でなく真剣勝負で生きよ、それが「真に男らしい生き方」である。学歴や肩書きや親からの財産などに「一切もたれないで、自分の身につけた実力一本でこの世を生き抜いてゆくわけです」と。一度しかない人生の時間計画を立てよ、一生を一日と見よとの主旨もある。

森の本意に即しつつ、あるいは聞き手や読み手の気分のままに、思考の広がるままに、森とは離れて自在に論じよう。男女の役割分担として当時の基準なりに森には「男は外、女は内」が当然視されている。今日の多様な意識とは異なる点である。また、「もたれる」ものがなく裸一貫で無一文で出世した者たちにも、自身の才覚と努力で勝ち得た当の名声に「もたれて」、精進を忘れてしまう――その後の言行は二番煎じのみ――ということもあろう。

「人生二度なし」。ストイック＝禁欲主義的な解釈が森の真意と察せられる。巧まざるユーモアであろうか、「スポーツ新聞とか週刊雑誌」を絶対に読むなとか、二十五歳までタバコを吸うなとか、具体的な指示もある。一度しかない人生を無為に過ごすな、「どうせやるなら覚悟を決めて十年やる」。すると二十代には「ひと仕事」できる。十年ごとの本気の頑張りで四十までには「頭をあげる」、五十までには「群をぬく」、六十には「相当に実を結ぶ」、更に十年頑張れば七十の「祝いは盛んにやってもらえる」、更に十年頑張ると七十代の「コースが一生で一番おもしろい」と。間断ない自制と鍛錬の果てならではの喜びであろう。

他方、「人生二度なし」の言葉はエピキュリアン＝享楽主義的に解釈も出来ようか。森の趣旨とはほとんど遊離するけれど。筆者のような不届き者は、些か曲解めくこの解釈に傾きそうである。

「悪人正機」（親鸞）の教えを聴いて仏への感謝の念からストイックな正しい生活に励む者もあれば、どうせ救われると知った以上、エピキュリアンな欲望の赴くままに自堕落に陥る者もあるように。「信仰義認」（ルター）の教えに触れて救いの確信を得て清らかな生活を送る者もあれば、同じく救われると判った以上、情動の虜となる者も現れたように。

どうせ一度しかない人生だ。何を自制して禁欲して殊更に頑張るのだ。真面目に働き通して、せっせと稼いで、とうとう使うことなく残した預貯金に何の意味があるのか。子供のため、後世のための寄与であることは確かとしても、本人の働きによるのに本人自身にとっての楽しみに費やされないとは。なぜ美食を楽しまないのか、なぜ女子を愛さないのか、なぜ葡萄酒を堪能しないのか、なぜケチケチするのか。こういう解釈もしくは誘惑である。森の主旨とはかけ離れてはいるが。思えば遠くへ来たものである。

「終わり良ければ全て良し」──形式論理と実人生

「終わり良ければ全て良し」。同名（All's Well That Ends Well）のシェイクスピア（一五六四～一六一六）の作品名に由来する。Ende gut, alles gut とのドイツ語の言い回しも耳にする。

ともあれ「終わり良ければ全て良し」とは一個の格言として人口に膾炙（かいしゃ）する。格言とは実人生の種々の様相の概括。なるほどそうだとの感慨を抱きもすれば、はてそんなものかなとの疑義が起こりもする。実人生の日常言語の常識は、必ずしも形式論理学の定則とは同じではない。およそ言葉の持つ両義性ゆえに非論理的ともなる。両者の矛盾は当たり前といえば当たり前ではあるが、そこにこそ一種の妙味がある。

形式論理で「対偶」を取れば「終わり良ければ全て良し」は「一つでも悪ければ終わり悪し」と同じ意味であるが、まさか実際そうではあるまい。個別に「悪い」ことどもはあったが「終わり」が良いと一切のそれらは帳消しになるとの主旨である。受験に合格したとか、金メダルを獲得したとか、それまでに苦難があったがそれも良し。「終わり良ければ全て良し」が実感を伴って語られる局面である。形式論理の法則では表現が適わない。形式論理と実人生の常識とが齟齬を来す例を三つばかり。（1）扉に「男子立ち入り禁止」と書かれている。女子は入って良いのだろうとの解釈が普通であろうが、瞬時に判るように形式論理的にはそうでない。もっともその趣旨なら単に「立ち入り禁止」と書けば間違いないのにという話である。（2）「出席回数が三分の二に満たぬ者には成績評価をしない」との規程。形式論理では三分の二以上を出席していても成績評価しないこともありうるが、普通には三分の二以上の出席があれば（よほどの迷惑行為を重ねたりしない限り）成績評価はされると想定される――法学上で「反対解釈」と呼ばれる。（3）ロールズ（一九二一～二〇〇二）の『正義論』に「格差原理」（当の社会の成員の最も不遇な者の便益を最大化せよとの準則）の要請がある。算数（形式論理）でいえば各人に平等の財を分配するのが正解となるが、人間心理の実態を顧慮すればそうではない。どうせ（年度末には）財の配分が同じというなら、より多くの財を生み出せる（有能かつ幸運な）者の生産意欲が損なわれ、当の社会の全体としての財の総量が減少し、減った財を平等に分配したところで、総量が豊かで不平等に分配される場合よりも「不遇」者の取り分が減ってしまうこともあるように。

「終わり良ければ全て良し」に戻る。さて当の命題を捩って「終わり悪ければ全て悪し」はどうか。これは固より妥当しない。人に愛され人に尽くした者が不慮の死を遂げたからとてその者の人生の全てが悪かったとはならぬように。「終わり」「良ければ」「全て」「良し」、それぞれに多義的である。「全て良し」の中に「悪しきこと」の実在が前提されているように。論理というより人生論の上の所見である。受験合格や金メダル獲得は「終わり」か。続きがあるのでは。当人の死を以て「終わり」として、それが「良し」といえるためには「終わり」につながる「中味」も良かったからでは。「始めが肝腎」との格言もある。ところが人生の「始め」は選択の余地なく自らコントロールできない。「終わり」も（多少は予測がつき自死という終え方もあるが）基本は不如意。とすると「始め」と「終わり」の間の「中味」こそが肝要というものではないか。必然の制約を様々に受けながらも自身でどうにかしようと励めば何とかなりそうな「中味」、人生そのものの実質である「中味」がこれである。

「どちらでもない」との回答ほか

戦術としてのアンケート、策略としての社会調査という話である。あるいは多義性ゆえに検証が不能とか。

(1)アベノミクス批判――アベノミクスでは不十分だから反対か、間違った方向だから反対か。真逆の立場が同様に分類される。

(2)回答率(回収率)の問題。どれはどの確からしさか。

(3)世論調査にカラクリあり。拙著『自由の信条/保守の感性 政治文化論集』(幻冬舎)二二三~二二五頁を参照。

(4)護憲か改憲か、TPPを支持するか否か。何れもどちらかこちらで中間はない。「死刑制度の存置に賛成か反対か」。この問いに「どちらでもない」との答えとは。NHKの『チコちゃんに叱られる!』風に「ボーっと生きてんじゃねーよ」と一喝されそうである。「わからない」=DK(Don't know)と答えるのが正直である。考えに考えた末の「わからない」もあれば事情を知らぬゆえの「わからない」もあるが。

(5)「加計学園」について納得できますか。納得できないが多数。回答者の真意が伝わらぬ設問。「関心がない、重要な問題ではない。そもそも政治の争点たりえない」との選択肢があれば、これに八割方が与するであろうに。

(6)「忖度」云々。「本音と建前」の区別と相互作用は。その加減は小学生も高学年ともなれば十分に通じているほどだ。世の中いたるところ「忖度」ではないか。たとえば組織の（本意とは限らぬ）改革の申請。改革の要望が多いと印象づけるアンケートがある。意欲的な文言を質問文に掲げた上で、「この改革に賛成ですか」と尋ねれば「はい」の答えは多くなろうもの。「エビデンス」の明示を強いる先方の真意を忖度しつつそのデータを提げて文科省との交渉に臨んだり。また文科省は文科省で財務省を忖度してその「復活折衝」に躍起になったり。少々は実態を踏まえて議論すればいかがだろうか。

(7)性格の慎重さと保革政党の支持とに相関関係があるか否かを調べる。さて手法やいかに。相互に干渉し合わず独立した問いでなければ客観性が保証できない。前者について、「あなたは外出するとき降水確率五〇パーセントで傘を用意しますか」の問いで「はい」と答えると「性格が慎重」。別個に「あなたは自民党を支持しますか」の問いで「はい」と答えると保守政党の支持。両者に「はい」の割合が偶然にそうなったのでないと推定される（有意の水準以上）なら、相関関係ありと判定されるように。複雑な手続きが要される。

(8)東北大学の学生時代。学内の改革論議があって、それに消極的な教授陣に学生が反発を強めたらしい。たいてい「意識の高い」（自称）「クリエイティヴ・マイノリティー」の面々であろう。政治学の大嶽秀夫の話。「教授会でこの件が出た時、憲法の小嶋先生が、学生全員にアンケートを取れば良いと言われた。学生の大多数は現状維持的だから、これは効果がある。いや、政治学の僕よりも法律学の先生の方がよほど〝政治的〟だなあ」と。

（9）選択肢の形式の調査では窺え知れぬ世論を得ようと、アンケートには「自由記述欄」がありもする。ところがこれは数値化できない。事情は厄介である。

3　学校系

小学校を卒業する皆さんへ

以下は或る小学校にての祝辞である。

皆さんへ。四つのことをお話ししましょう。何かの時に思い出してもらうと良いかも知れません。四つといってもそれは起承転結のようにつながっていますから、同じ一つの事ともいえます。細かく見れば四つのこと、大きく見れば一つのことです。

まず第一に、皆さんはとても恵まれているということです。実際、皆さんはそれぞれの御家庭で大切に育てられ、そしてこの小学校で素晴らしい先生方と出会い、頼もしい友人たちとも出会い、多くの方たちに守られ励まされてきました。本当に皆さんは幸せな境遇にあると思います。これは忘れてはいけないことです。感謝の気持ちとともにね。

第二に、では、そうした皆さんには悲しい事なんて何一つなかったでしょうか。いえ、決してそんなことはないと思います。君にもあなたにも辛いこと悲しいこと泣きたいことがたくさんあったはずです。どんなに恵まれた身の上であっても、誰にでも悲しみはあるのです。勉強のこと、友だちのこと、進路のこと、……。頑張ったけど試験に不合格だったとか。友だちに誤解されたとか。否いわゆる優等生にだって悩みはあります。勉強ができて当たり前と見られるから常に良い成績を出さなきゃと思う重たい気持ち。時にはもっと深い悲しみもあります。愛の悲しみ、自分自身への疑い、永遠の別れという辛さ、等々。

皇后陛下・美智子様は「子供の本を通しての平和――子供時代の読書の思い出――」（一九九八年）という講演の中で次のように語っておられます。「自分とは比較にならぬ多くの苦しみ、悲しみを経ている子供達の存在を思いますと、私は、自分の恵まれ、保護されていた子供時代に、なお悲しみはあったということを控えるべきかもしれません。しかしどのような生にも悲しみはあり、一人一人の子供の涙には、それなりの重さがあります」と。皇后陛下のような方でもこの通りなのですから、皆さんに悲しみがあって当然なのです。

第三に、では、そういう誰にでもある悲しみ苦しみを何とか和らげるにはどうすれば良いか。それは人さまざまに試行錯誤しながら自ら見つけていくしかないようです。皇后陛下は先に紹介した言葉のすぐ後にこう続けていらっしゃいます。「私が、自分の小さな悲しみの中で、本の中に喜びを見出せたことは恩恵でした」と。そうです。本は君たち、あなたたちの知らない世界を開いてくれます。そうしてこの世界には実に様々な悲しみ・苦しみがあることを教えてくれます。そして時にそれを乗り越える手がかりを示してくれます。じゃあ、自分の苦しみも当たり前だ。なら今少し頑張ってみるか、工夫してみるかという力が湧くことでしょう。本に限りません。とにかく自分なりに悲しみを和らげ克服する道を探し求めて下さい。

第四に。これが最後です。ここで最初に戻ります。皆さんはそれでも恵まれた子供たちです。世の中には、世界には、とてつもなく深い苦しみと悲しみでどうしていいか途方に暮れるばかりの人々がたくさんいます。どうか皆さんがあなた自身の悲しみを越える道を見つけたなら、そのことを不幸な人々、恵まれない立場に置かれた人々に伝えて下さい。喜びや楽しさをともに分け持って下さい。ちょうど、皇后陛下が貧しい子供たち、心が挫けそうな子供たちに、御自身の読書の喜びを真心から伝えようとされているように。

君たち、あなたたちの素晴らしい未来を祈ります（本文中の「皇后陛下」は現在「上皇后陛下」である）。

ストレス対処に関する私見

心理療法家でない素人の議論である。「気の持ちよう」の意義とともにその限界に触れ、ストレッサー（ストレスとなる原因）との対決も必須と説く。転じて「ストレス対処」の範囲を超える論点にも及ぶ。

先日、臨床心理士の助言の下に或る中学校の生徒たちにより次のような寸劇が行われた。「魔法の心のつぶやき」によりストレスに対処しようとの主意である。――登場人物は五名（ABCDE）である。学校の廊下でAとすれ違って挨拶したがAは無返答のまま行き過ぎる。そこで各人の「心のつぶやき」が問題となる。Bは己に落ち度があると思い込み意気消沈、Cは「恩知らずが」と憤り己もAを無視しようと呪い、Dは「生意気だ」とAに殴りかかる。Eは自ら多少は心傷つきながらもAの「具合が悪いのかしら」と心配して声をかけ当人だけストレッサーに賢く対処し事態の改善をもたらした、という筋書きである。なるほど「気の持ちよう」の効用の好例である。日常のストレッサーに一々「やれ俺の面子はどうなる」などと反応するのは詰まらない。Aには些少ながらそのマナー違反に気づいても貰いたいが、「色々な立場や行き違いもあるのでしょう」との「心のつぶやき」でストレスを回避するのが、確かに知恵というものであろうか。

ところが、ストレッサーが深刻な場合にはこうはいかぬ。炎熱というストレスを受けながら「心頭を滅却すれば火もまた涼し」とばかり心の平安を保っても結果が焼死なら元も子もない。ひいては正邪善悪の見地からストレッサーが非難に値する場合には「気の持ちよう」式の対処には疑義が生ずる。ストレスを受ける側の心のスイッチ一つで解決できぬ局面である。「事なかれ主義」には限界がある。それは現状の人間関係を容認することになるが、それらは正義に合致するとは限らぬわけだ。ストレスを被った側の泣き寝入りとともに、力ある者や声の大きな者——暴力や権力や財力や影響力ある者——による不正が固定され持続または再生産される事態を意味しよう。たとえばEが暴力を振るわれたならストレッサーの心の病を気遣うより、先方への怒りを表すのが正しい対応となる。種々のハラスメントを受けた際には「心のつぶやき」でストレス回避すべきでなく然るべき抗議と告発が正解であるように。己を食おうとする狼を「空腹という事情があるから」と思いやって、そのまま食われる人はいないように。これらは、ストレス対処法の一つとして、原因除去志向ともいうべきタイプである。

更には、ストレッサーが社会や政治の構造的不正に帰因すると解される場合はどうか。全体主義体制や権威主義体制の下にある人々にとってのストレス対処法は。「気の持ちよう」は窮余の自己防衛かもしれない。毛沢東の指導に反するような感情を抱く自分自身を責める心理など。が、真の問題解決のためには、ストレッサーへの戦いを挑むしかないであろう。それは、もはやストレス対処の一類型ではない。ストレス解消どころか、あえてストレスを引き受けようとする態度だからである。不快に耐えつつその重圧に潰されぬ気合いで、己の信じる正義の回復や実現のために抗い戦おうとする態度。中共批判ゆえに事実上の亡命状態を強いられたユン・チアン女史の如し。「良心の囚人」のように自由のための危険かつ孤独な戦いを辞さぬ覚悟。正義の追求という契機は厳存し、それは心理療法の管轄領域外にある。正邪善悪は心の快不快いかんに還元できぬともいえようか。

大学受験生への一助言

最近ある学校で高校三年生と大学生との交流会があった。大学受験の試練をいかに乗り切ったかという経験談を聞く有意義な企画である。センター試験で場慣れするために敢えて自分には関係のない科目も受けてみたとか、逞しい戦術も披露されたり。以下、昔年の大学受験生からする一助言を試みよう。

昔年といっても、筆者は一浪して第一回の「共通一次」を受ける羽目になった世代。マークシート式の共通の試験と、論述式の個別の試験との組み合わせという受験パターンという点では、現在と基本的に共通している。なお、大学受験に関して筆者は三勝五敗と負け越し。秀才は物分かりの悪い者に接すると「なぜ判らないのかが判らない」と憤るらしいが、筆者は秀才に非ず。かえって有益なアドヴァイスが出来るかもしれぬ。五点ある。

第一に、本当の意味での実力を身に付けよという点である。激しく勉強してキチンと判れということ。これが全ての出発点か。たとえ他人が褒めてくれても調子に乗るな。当の問題に関して己の言葉で正解が言えて自身が納得できるまでは未熟と心得るべし。実力に裏付けられた静かな自信を実感できるなら勝利は目前である。

第二に、（近時は種々のタイプがあるが大半は）入学試験とは一発勝負だという点である。当日の体調と気力に万全を期すべし。風邪には細心の注意を。試験は朝から夕方まで。その時間帯に最高に頭が冴えるようにせよ。ラスト・スパートとばかり死力を奮うのはもちろんだが、前日の夜更かしは禁物。高橋久美子作詞、チャットモンチーの楽曲『ヒラヒラヒラク秘密ノ扉』の一節なら拙い。当日に寝不足で頭がボンヤリ、気分がクサクサして実力が発揮できぬとあっては元も子もないからだ。高速道路に入る時は進入路で思い切り加速して本線の様子を見ながら適宜に減速して入るのが良いといわれる。その要領である。

第三に、文字と記号による表現という点である。現代イギリスの政治哲学者であるマイケル・オークショット曰く、知識には、文字や数字で定式化できる「専門知」と、実際にそれが出来るならば存在するとしかいいようのない類の「実践知」の二種類があり、あくまで土台にあるのは「実践知」である、と。ところが筆記試験という性格上、問われるのは「専門知」だけだということである。言い換えれば、文字において表されたものが全てという世界。言い直しは出来ず、身振り手振りも利かぬ。論述式しかり。マークシート式は更なり。正しい結論を導いたとしてもマークを写し間違えば大失点である。思い込み、勘違いを避けよ。「問わず語り」と「問うに落ちず語るに落ちる」とを混交して変な格言を書き留めたかつての拙稿のように誤りを犯しても早く気づくべし。

第四に、以上の事どもに注意を払ってなお、本番にて「絶不調」であったとしても、絶対に諦めるなかれ。間違えても途中で試験を放棄して泣きながら帰るべからず。大いに「悪あがき」せよ。五者択一の出題に答える時間がないからとてマークせぬということは止めよ。アからオまでで当てずっぽうでもエとかにマークすべし。合否ラインには二、三点差に何人もの受験生が密集しているのが常だ。明暗を分かつのは僅差ということ。運の良し悪しも実力のうちと思えばよい。

第五に、入学試験とは明朗この上ない競争であること。戦争ともスポーツとも異質である。相手を倒すのでなく、己が頑張るだけである。フェア・プレーの最たるもの。何憚ることないのだ。全力を尽くすに値する行いである。君の善戦健闘を心より祈る。

職業の性質

中一の甥の宿題を手伝った。色々な職業人に職業観を聞いて纏めるのだという。「あなたにとって職業とは」との問いに筆者はこう答えた。「人や世の中の求めに応えることで、自らも生きていけるということ。その『求め』られる中味が、自分の好きで得意な事柄であれば、何よりも幸い。そういう状況になるように努力し工夫することが大切かも」と。

さて、あらためて職業には以下の性質があると思われる。（1）他人（社会）本位という側面――役に立つこと、求めに応じること、世のため人のためであること。（2）本人（個人）本位という側面――己のためであること。これには①生計維持、生存の手段、収入の確保（金銭の獲得）と②自己実現、好きなこと、得意なことの追求という二面がある。ちなみに古典的な「職業の三要素」説（尾高邦雄）を踏まえれば、（1）が「社会性」、（2）①が「経済性」、（2）②が「個人性」に該当する。

職業の意味を最も狭く取ると、（1）かつ（2）①のみになる。何れか一方が欠けると、当の営みは「職業」とはいえない。（1）だけでは不可。職業は無償のヴォランティアではないから。（2）①だけでも不可。反社会的な暴力団員は職業とはいえないから。（1）（2）①（2）

②の全ての要素が揃うと職業として理想である。しかし（2）②の要素を欠くことがしばしば現実である。自己実現どころではない。生きるための必須の手立てとして、辛い労苦にも耐えねばならぬのが職業の実情であり、身過ぎ世過ぎの習いである。

さらに種々の性質がある。（1）に関して。岡本幸治の「働くは『傍楽』なり」との名言もあるように、他人（社会）本位とは職業というものの根幹の事柄である。なお「人のため」と「世のため」とは同一ではない。近江商人が「売り手良し、買い手良し」に加えて「世間良し」の心得を説くように。当事者同士の自他の満足でなく「公正な観察者」から見ての正しさこそが道徳の本質であるとアダム・スミスが喝破するように。

（2）に関して。（2）①②が一体の場合もある。金儲けがすなわち生き甲斐という人のように。（2）②を偏重し（2）①を軽んずるかのような言動の人もいる。（2）②が必ずしも本人の本意にかなわぬ場合の心や行いのあるべき対応も様々。一方であくまでも己の本懐を見極めそれに忠実に初志貫徹の気概で職種において妥協しないという行き方がある。成功者の道程の一典型であろう。他方で臨機応変ということもある。「初志」とは初めのその時の志。外的事情への適応や内的心性の展開に即して変わりうる。初志貫徹が好結果をもたらすとは限らない。苦手と思い込んでいた職種で当座やむをえず仕事してみると実はその方面で才覚があったと判ることもある。もちろん早々に（2）②が満たされる方が、もとより適材適所からくる活力の湧出――士気の充実と能率の向上――ゆえに、本人にとっても他人（職業組織や世間一般）にとっても望ましいことは確かである。

職業生活はまだ先の中学一年生も、いよいよ就職活動に入る大学三年生も、世のため人のため、己の生計のため、己の価値追求のためといった、職業の要諦などを念頭に置いて試行錯誤を重ねられんことを願う。

「職業に貴賎なし」との格言あり。他方で「職業威信」なる社会学上の関心もありランキングが作成されてもいる。「職業に不要なし」――筆者はこう答えよう。考えてもみられよ。世の職業の一つでも欠ければ誰しも文明生活を営めないという自明の真理を。己の職業選択は、己の持ち分ではそれしかなかったからという苦い真実を。しかもそれさえもが世の皆々様に多少とも役立っているという有難みを。

回想の教師たち――中学校まで

思い出に残る教師たち。表記はイニシャル。教師には「先生」付き。

1．小4。Y先生。理科の授業。試験管に水を入れて水面の高さにマジックで線を着ける。（アルコールランプで）「しばらく熱すると水面は上がるか下がるか」と問うた。一人を除き「蒸発するから下がる」との答え。Maだけが「体積が増えるから上がる」との説。「さぁて実験しよう」と先生。結果はMa予測の通りとなった。むろん熱し続けると蒸発で水位は下がるが。意外な、しかし有りのままの事実を直視した時の驚き。インパクト大。野田が理系に進むことはなかったけれど。

2．小4。Ka先生。国語の教科書で大勢の子供らの一連の写真が載っていて最後は大喧嘩の場面。何があったのかを話してみましょうとの問い。Taが子供一人一人に力士の四股名を振って「花光が内掛けに出たところ青竜が豪快に上手投げだ、そこへ姫野国が」云々と架空〝実況放送〟を続けたものだから、先生大笑い。授業のその後の展開は覚えていない。各児童が先生に日記を提出する勉めがあった。コメント付きで帰ってくる。蜂を嬲り殺した男子三名に憤って、呼び捨てで表記したところ、「ひどい人でも『くん』をつけましょう」と一筆。どうも以来、野田は人を非難する際に呼び捨てにしない傾向にあるようだ。
3．中1。Mu（女）センセー。世界史。教壇を蝶の舞のように行き来し黒板を達筆で埋めていく。隋の暴君「『煬帝』はヨウテイでなくヨウダイと読みます。ちょっと伸ばしてヨウ～ダイと呼んでみてください。その方が悪く聞こえるでしょ」と。
4．中1。Sa先生。地理。初老の先生。「日本中の温泉を巡った」と豪語。「一位は登別や」と。語呂合わせで地名を覚えさせようと「日本にあるのに信濃川（支那の川）」と。信濃川が日本の川なのは中1生にも既知のことなのに。触発されて「山しか無いのに山梨県」との戯言を思いついた。
5．中1。Su先生。代数。インフルエンザで欠席者が続出。元気な「班」の仲間で、遅れた分の勉強を教えようと先生に提案。大喜びで教室の鍵を手渡してくれた。得意教科を分担。野田は「総合」。うち理科第1分野（物理・化学）を教えたが自身は七〇点台。罪過は軽からずというのが実態だったたが。
6．中2。Ku先生。現国。「この小説のテーマは何か」と問うた。（作品名も作者名も覚えていないので不正確は自認しつつ）荒筋は以下の通り（後に井伏鱒二『屋根の上のサワン』と判明）――「傷ついて道に落ちていた小鳥（雁）を拾った。持ち帰って看病などの世話をした。回復したようだが十分とはいえず、まだまだ大空に帰すのは危ない気がしたところ、弾みで鳥は飛び立ってしまった。私はこれで良かったのだと思った」。野田は「事物は各々あるべき場にあるのが正しいということでしょうか」と。「違うなぁ」と先生。Ｓａｗが答えて曰く「人間のエゴイズムです」と。「そうや！」と先生。情が移って手放したくないという己のエゴを鳥への気遣いからだと自らを欺くとの主題である。Ｍａが先生に尋ねる。「自由と平等とどちらが大切ですか」と。先生「ううん」と長考。「難しいな。自由にすれば平等でなくなるし、平等を強いれば自由じゃなくなるしな」と。あくまで誠実な先生だった。因みに当時の野田は「平等」説。今の野田は「自由」説である。

回想の教師たち——高校まで

前頁の続きである。

7．高1。Ku先生。仇名は「髭達磨」。世界史。文化大革命の終期の中国。当時は貧困の国との通念。「今貧しいけどきっと豊かになりますわね。贅沢の味を歴史で経験していますからねえ」。現在GDP世界2位。こういう見立てを洞察という。

8．高1。M先生。物理。バネに重りを足していってその長さを測る。実験の授業。正比例の関係になるというのが眼目。実測値は当然にバラツキがある。それは誤差であるとの結論である。「答えありき何を手間かけ実験を」という川柳を作った。ギザギザの小刻みな線ではなく真っ直ぐな直線が正解である。自然界は単純という信念、自然法則の単純性の要請ということに気づかせて欲しかった。なお過重となってバネが伸び切った状態を「弾性の限界」という。ほふぁ！「男性の限界」と、文系の悪友と笑い合ったり。

9．高2。S先生。化学。難問を座席順に次々に生徒に問うていく。「判りません」等々の連鎖。もうすぐ自分の番の野田。「これは果たして知識の問題か思考の問題か」と心の声。その末に「知りません」と答えると、「知りませんって」と、常日頃は穏やかな先生がムッとされた。数学は純然たる論理の世界(答えが否応なしに決まる世界)、文系科目は認識と価値観の錯綜する世界(答えが決まらないと判っている世界)。理科はその間にある。知らないと判らないのか考えれば判るのか——前提たる知識と自然界の論理。この兼ね合いを巧みに説明されれば理系への好みも生じたかもしれないが。双方の知見の融合。それが理科の難しさか。たとえば「どうして昼は青空なのに夕方は赤いのか」。答えには絶妙の筋道があることに後年になって気づいた次第だ。

10. 高2。Y先生(女)。倫社。「日本的なるものとは何か」との小試験。野田は「日本固有のものはない。外来文化を原型から変えて行く仕方に日本的なるものが窺えるが」と解答。先生は褒めて読み上げてくれた。のちに別のお題で「愛国心とは何か」との問い。「愛郷心が拡大された愛国心は正しいが、自国第一で膨張に走る愛国心はいけない」といった解答をしたところ黙殺され、別の男生徒の「愛国心とは差別である」というのが正解とされた。〝寵愛〟を更に得ようとの努力は水泡に帰した。もっとも、愛国心についての先生の見解はちょっと歪ではないかと、当時も現在も思う。

11. 高3。H先生。現国。フランスの詩人のヴェルレーヌの「秋の歌」の英訳を和訳するようにとの宿題。野田は擬古文モードの七五調で訳してみた。指名され板書すると先生は絶賛。「堀口大学の訳よりも良い」などと。その後さすがに己は詩人だと思い上がる勘違いはしていないつもりだが。

12．高3。T先生。政経。「魚とプラント、ソ連とバーター」との新聞見出しの意味を書けとか。思うに創意ある設問か。「社会契約説とは何か」のお題も。「人が集まるとそこに社会が出来る」と始まる野田の解答。コメントに「人が集まるから社会が出来るとは限らない」と。「社会」の定義しだいかなと後日に考える。「政治社会（政治体）」と捉えると先生が正しい。最広義に捉えると既になんぴとも胎児の時から「社会」説。ともあれ先生の評言が身に沁みた――「良いですねえ。文系ですね。数学が苦手だから文系に行くんじゃ無いですよ。言葉を大事にするから文系なんでしょ」と。理系に対する些かのコンプレックスを一払い。脳の性質や嗜好の違いの色模様。こういう次第で野田は文系だ。

同志と友人

「同志」と「友人」の意味を考えよう。同志と友人とは、ともに或る緊密な人間関係のあり方という点で共通する。が、両者には以下のような違いがある。

同志とは志を同じくする者。目的の共有がその要件である。思想信条や利益を共有し、その普及や実現を目指す者同士。同志的な関係は、関係それ自体が目的ではない。ある共通の目的を達成するための手段としての結社である。その程度に応じて、軍隊、企業、政党、教会、クラブ、サークル等。同志たちの結社は、始めと終わりとが明示的である。入会や退職など。その結社の趣旨や構成員の資格が規定されている。目的の違いに即して排他的な傾向にある。何人も気がついたら○○株式会社の一員であり、知らぬ間にそうでなくなっていたということは有り得ないように。同一人が同時に自民党員であり共産党員でもあるとは考えにくいように。

友人とはその存在それ自体が楽しいと感じられる者同士。友人たちには目指すべき共通の目的というものはない。あるいは関係そのものの享受と持続だけが、「目的」とも言い換えられようか。友人になったり友人であるための規約などはない。友人に代わりはいないが、友人は相互に排他的でない。AはBともCとも友人であることができる。たとえBとCの仲が険悪であっても。友人に明示的な終わりはない。終わる時はただ自然に終わるだけである。殊更に「絶交だ」と宣告して友人関係を絶つ人は、相手を同志のように思っていたのかもしれぬ。

同志であるか否か、友人であるか否か。四種あるが、ともにそうでない場合とは「赤の他人」。同志ではあるが友人ではない場合とは、同じ会社に属して協同して利益を上げねばならぬという点で仕事仲間ではあるが、どうしても公的な場の外では付き合いたくない者同士の如し。同志ではないが友人である場合とは、君と俺は目指す道は違うが会っていると楽しいねといった間柄、君は進歩派で俺は保守派だが不思議と話が合うねという感じである。

ではＰＴＡとは。まずもって「同志」的な結合体である。我等が中学校の生徒の人格陶冶や才能開発のために親や教師が力を尽くすという目的が厳存するから。その趣旨に賛同する者同士の結社。しかも、その上で、是非ともに「友人」としての集いでもありたいものである。生徒の躾と教育に関して学校との協力のあり方を巡り、口角泡を飛ばして議論しながら、しかも「貴君もつくづく頑固ですな」「いやお互い様で」と酒を酌み交わすような仲間たち。やがてＰＴＡから「卒業」しても友人として持続する間柄。同志でもあり友人でもある関係とは、げに素晴らしき哉。ＰＴＡの理想像である。

今年の桜

四月一日の「九段の桜」。夜桜である。千鳥ヶ淵の桜。皇居のお濠に沿った小道を通る。歩を進めるにつれ近くの桜と遠くの桜が行き違う。お濠を隔てた向こうにも石垣から迫り出すようにして桜が咲き誇る。近くの桜と遠くの桜、こちらの桜と向こうの桜。その奥行きのままに重なり合うように。光の加減と桜の個性が相俟って、次々とその色合いを変えながら。この遠近感と立体感はハイヴィジョンで見た通りと気づく。——先に人工物を通して見て、後に自然の実物を見て合点が行くとは、オスカー・ワイルドの「自然は芸術を模倣する」さながらだ。否、ハイヴィジョンで見た時にはなまじ精密機械を通しての映像で人間の目にはああは映らぬだろうと決め込んでいたが、事実は実際にもそうだったという話だ。「審美は実見に始まる」と悟った。

愛媛大学の入学式の後先の桜。入学式の前日は晴天。愛大の桜はどれも満開であった。つぼみも風に流れる花びらも一つもなし。「パレート最適」のように、これ以上に咲かせるなら、どれかを散らさなければならないという、完全な均衡状態。そして入学式の当日。前日とは打って変わっての風雨。傘が裏返るほどの激しい風。親鸞の「明日ありと思ふ心の徒桜　夜半に嵐の吹かぬものかは」の心で、式場に向かおうと構内の桜に目をやると、これがほとんど散っていない。水を含んで色濃いピンクの絨毯となったのは、桜花の一割ばかりに過ぎない。この風雨の中で桜はそのままに咲いている。森山直太朗は「運命（さだめ）」の風景と心模様とを歌う。が、その「運命（さだめ）」の時が来ないうちは、安々とは散らない。四月七日、入学式のその日は、まだ散るべき時ではなかったのだ。散るべき時が来れば潔く散るが、その時が来るまではしっかりと咲いている。桜は強い。見事な散り際は、その強さゆえだ。時が到れば散って、そしてそれはまたそれとして美しい葉桜となる。人もかくありたいものである。

言葉の不思議

以下は或る中学校にての文章である。

物事を考えることが大好きな皆さんへ。言葉の不思議について述べましょう。

その一。言語と思考とどちらが先ですか。何を言うか、何を書くか、何と名づけるかを考えてから言葉にしますよね。すると思考が先ですか。いや、考える時にすでに言葉で考えている。言葉なしでは考えられない。すると言語が先かな。ではその言葉はどこから来たか。言葉は神が人間に与えたのだと説く思想家もいます。神の問題を措くとして、言葉は人間が生み出したとするのが普通の説明でしょう。でもそれは誰かが思考して設計して作ったわけではない。東京駅を作ったのは辰野金吾という建築家や大工さんたちですが、言葉を「作った」人は判らない。知らない間に何かのルールに従って言葉を使っている。あとから考えてそこに「文法」があると気づいて、今度は文法に即して言葉を整えたり、新たに作ったりする。でも事の始め――言葉の起源は定かではない。何語を母国語としようとその事情は変わりません。

その二。言行一致とか不言実行とか知行合一と言いますね。そこには「言うこと」「知ること」と「行うこと」とは別物だとの前提があります。確かに「酒は飲まぬ」と言う本人が酒を飲んでいれば「言うこと」と「行うこと」とは違っています。「家を建てます」と言うのに実際に家が仕上がらないうちは「言行一致」ではありません。福沢諭吉は『学問のすゝめ』十六編で「議論」と「実業」、「心事」と「働き」とをそれぞれ区別して、評価されるべきは「実業」や「働き」であると述べていますが、「言行一致」を要請する趣旨でしょう。ではこれはどうでしょう。裁判官が「被告人を懲役五年の刑に処す」と言う時、その人はその言葉を言うと同時に判決という行いを果たしていますね。「私は何々を約束する」と言う時、その人はその言葉を言うと同時に約束という行為を行っています（その約束が守られるかどうかは別問題ですが）。言葉にはさながら「言即行、行即言」という局面もあるわけです。

その三。言葉の意味と用法に関わっての逆説。「私は嘘つきだ」。この人は嘘つきですか。堂々巡り。これはどうでしょう。ソクラテスが弁論術の学校の卒業式で生徒にこう言った、「我が校を卒業した諸君が最初に起こした訴訟に負けることがあるなら授業料を全額返還する」と。生徒の一人曰く、先生に対して授業料返還の訴訟を起こしますと。もしこの訴訟に私が勝てば訴えの内容どおり授業料は返還されなければならない、もし私が負ければ先生の言葉どおり授業料はやはり返還されねばなりませんと。ソクラテス答えて曰く、君がこの訴訟に勝てば――要は負けていないのだから私は授業料を返す義務はない。君がこの訴訟に負ければ訴えの内容は退けられたのだからやはり授業料を返す義務はないと。

さて、いかがでしょう。言葉の「不思議」というくらいですから、私自身にも本当のところは判りません。

「君を守る」知恵

さる中学校にての文章である。

「世界中を敵にしても君を守るよ」という言葉があります。広く知られていますよね。有名な歌曲にもあります。「君を守る」気持ちの強さがよく表された言辞です。優しい心の現れなのでしょう。「知情意」のうち「情」「意」、すなわち感情と意志については申し分ありません。ちょうど歌詞の内容がそうであるように、男子が女子に言いそうな言葉です。こんな台詞を言ってみたい男、言われてみたい女もいるかもしれません。

しかし惜しいかな、「世界中を敵にしても君を守るよ」との言葉には、「知」すなわち知性が欠けています。大切な人――「君」を守るには、「知情意」合わせ持った態度と行動が必要です。そもそも世界中を敵にすればなんぴとも勝てないと直観で判ります。もともと「敵」のつもりでない「世界」の人は、（誰かを守っているつもりで）己を敵視する者を警戒して、結局はその者の「敵」となるでしょう。逆効果です。いや、よく考えてみましょう。平均して男は女より六～七年早く死にます（平成二〇年の日本の場合）。男から女への台詞とすれば、しかも年上から年下への台詞でもあるならば、ますます発言の当人が早々と死ぬ率は高くなります。その時、残された大切な人はどうなるでしょうか。周りを敵じゅうに取り囲まれた世界にただひとり残されることになります。四面楚歌の比ではありません。「世界中を敵」にした結果です。

大切な「君を守るよ」との約束は果たされません。

「世界中を味方にして君を守るよ」。大切な君を守る心はこれです。(世界中を味方にするのは実際には不可能ですから) 出来るだけ多くの、出来るだけ様々な、出来るだけ頼りになる味方を、その人のために作ること。それが君を守る道です。たとえ僕が死んでも世界には君の味方がたくさんいる。もう僕は君を守れないとしても君を守ってくれる人がたくさんいる。――こうして「君を守るよ」との約束は果たされます。

皆さん。この言葉のような強さと優しさを持てればいいですね。そして強さと優しさとが実を結ぶような知恵を身につけられると、もっと好いですね。「世界中を味方にして君を守るよ」。

がんばれるなら、がんばる

がんばれるなら、がんばる。がんばれる状況ではがんばる、がんばるべき時にがんばる、と言い換えてもよい。がんばれないなら、がんばるべき時でないなら、がんばらずに休む、がんばりのその時を待つ。

宇多田ヒカル（一九八三年〜）は九八年にデビュー。以来アルバム二枚を発表するほどの大活躍。ところが、そのさなかの二〇〇二年に卵巣腫瘍が判明、摘出手術を受け休養を余儀なくされた。宇多田は後年にこう語る――自分はがんばってきた。負けてはならぬ、迷惑をかけてはならぬとの一心だった。そして成功を収めた。ところが思わぬ事態で活動休止、とうとう仕事に穴を空けてしまった。不本意の極みだった。けれども周囲は自分を支えてくれた。スタッフのフォローやファンの励まし。幸いにも復調して仕事を再開することができた。自分一人ががんばらなくても何とかなったではないか。自分はいつでもがんばらなくてはいけない、強くなければならない、けっして弱みを見せてはいけないと信じてきた。しかし、がんばれなくなったときに救われて気づいた。弱さを知られまいと常にがんばる、それはできない。弱みを見せても良いのだ、そうしてなおがんばる、それが本当の強さではないか、と。はたせるかな、心の軽やかさを得た宇多田は、そののち、アメリカでのデビューやアルバム三枚の発表など、さらなる躍進を遂げたのである。

「経営の神様」松下幸之助（一八九四～一九八九）は次のように述べる、「『天は二物を与えず』と言うが、逆に『なるほど、天は二物を与えないが、しかし一物は与えてくれる』ということが言えると思う。その与えられた一つのものを、大事にして育て上げることである」と。正確を期せば、天が一物をも与えないことも論理的にはありうるが、「二物を与えず」との見立てが通用するところから推し量ると、たいてい一物は与えられているものと観察され了解されているわけである。ともあれ一物は与えられている。その一物を見きわめること、その一物については一所懸命にがんばること、これが肝腎である。とともに、己の一物でない事柄では時にはがんばらず、かわしたり逃げたりの手もある。もっとも一物についても常時がんばりきることはかなわない。宇多田ヒカルには二物が与えられていると思われるが、その一つの「一物」たる音楽の創造活動にあって完全無欠ではなかったように。

「己の一物」――本当の取り柄と持ち味――の何たるかを悟って、とにかくがんばる。ここががんばりどころか、今は待つことか。何をすべきか、何ができるか、右せんか左せんか。そうした迷いは宇多田ヒカルにも松下幸之助にもあった。誰しも同様である。高校生にもある。文系に行くか、理系に進むか。クラブ活動を続けるか、受験勉強に専念するか。大学受験で第一志望には不合格だった時、第二志望以下の大学に入ってがんばるか、それを潔しとせず浪人してがんばるか。得手不得手と気力の有りよう、情勢の見通しなど。答えは各様であるが、等しく求められるのは、「がんばれるなら、がんばる」という心構えである。

4 大学系

正しい答案の書き方――一つの示唆

　正しい答案の書き方を示唆したい。筆者が担当する「現代政治理論」を念頭に置くが、およそ一般に論述式の試験に対する「正しい答案」を作成する上でも妥当するのではなかろうか。

　一般に通じる注意点として三点ほど挙げられよう。第一に、分量についての条件を守る。答案用紙一枚が与えられれば、それがほぼ埋まるように書く。多少の不足は構わないが、たとえば答案用紙の半分ほどしか埋まらないというのは問題。明らかに説明不足ということだから。第二に、全体の時間配分を考えよ。やみくもに書き始めるのはいかにも拙い。まず全体を見渡し、この問題には最長このぐらいの時間をかける、何分考えて判らなければ、飛ばして他の問いに向かうとかの計画を立てるべし。戦略戦術が必須。第三に、質問にきちんと答えること。出題の意図を読んで解答すること。打てば響くような簡明な答が好い。当の事実や論理を具体的に指摘すべし。その上で補足的な説明があればなお好い。以上に加えて、「現代政治理論」のように価値判断に関わるテーマに関しては、次の点にも特に注意する必要があろう。――好き嫌いを避けよ、自分の得意なことだけを書くなかれ。客観的に書く。客観的に見て重要な論点を落とさない。これと関連するが、試験とは己の信条の思いの丈を展開する場ではない。題意を汲んで、たとえ己の主義主張や趣味に合わぬ言説に接しても、そのものの立場に即してこれを解説し論評する姿勢が大切、と。

事例を挙げよう。「（日清戦争時の外務大臣）陸奥宗光は何故に三国干渉を受け入れる選択をしたか」との設問。日清講和の下関条約での遼東半島割譲の条項にロシア・ドイツ・フランスが容喙し、遼東半島を清に返還せよと勧告した一件である（以下、関静雄「陸奥宗光『蹇蹇録』」を参照）。答案その一、国益の最大限の追求とその限度を自覚していたから、内圧と外圧のバランス感覚があったから、国際政治の一般論として勢力の現状変更を求める新興国は既得権益をもつ他の列強からの干渉を受けるものだから。――これらは良くない。生身の政治家の決断を、一般論、抽象論、原則論のみをもって理由づけるのは的外れだからである。答案その二、一応は干渉を拒絶し内外の反応を見た上で必要なら妥協策――「外交上一転の策」を講じようと考えていたが、もはやその余地がないと納得したから。先の答案よりは具体的である。が、陸奥のその他の選択との区別が定かでなく未だ判明ではない。結局、肯綮に当たるのは、「三国の干渉を排するべく列国会議を招請しようとの案が御前会議で決まったが、それを開けば問題が遼東半島の一事に留まらず拡散して遂に下関条約全体を破壊してしまうおそれがあり、それを防ぐには三国干渉を受諾して下関条約は譲らず批准に持っていこうとしたから」という解答である。ここに初めて、陸奥の思考様式の特徴とともに、危機的な状況に際して発揮されたその本領が明らかとなり、当の問答の妙味も現れるというものである。これをこそ抑える必要があり、あくまでその上で前二者の論点への言及があれば、解答はなお生彩を放つというものである。本末の順序が命である。

「『大東亜戦争は日本の自衛戦争であった』との主張につき見解を述べよ」との設問。極東国際軍事裁判での日本側弁護団の主張を紹介しつつ、「自衛戦争」の定義にも触れながら論じるのが筋となる。その上での所見が肝要である。賛否そのものは二の次である。己がパトスに翻弄され未だ遂に客観化されていない答案が少なくない。

「日本語リテラシー入門」科目について

愛媛大学で「日本語リテラシー入門」という科目を新設する構想がある。文理両系を含めた日本語の読み書き能力の基礎を、共通教育科目の一つとして初年次のうちに学ばせるという主旨である。計八回の授業、各々のテーマはたとえば次の通り――「文の長さ・句読点・かかり受けを学ぶ」「単語・文・段落を学ぶ」「ものごとを正しくとらえ、分かりやすく伝える」「確かな解釈に基づき、主張する」と「主張を検証し、批判する」。

全学の委員が会しての研修会があった（二〇一二年七月五日）。委員が受講生に成り代わっての模擬授業など。二種類あった。

その一。達意の作文の工夫が眼目。甲乙二人のペアを組ませ、第三者が図形を描いた紙を甲に渡す。甲はその図形を説明する文章を書き、乙に示す。「縦長の長方形です。縦と横の比はおよそ三対二、対角線で四つの部分に区切られています。向かって左の部分がグレー、右の部分が黒、残り二つの部分は白です」の如し。乙はそれを読んで図形を正しく再現する。迅速かつ正確な文章表現と理解を目指すというもの。思わしくいかぬとすれば問題がどこにあるか等々を協議して改善を期する。

その二。四コマ漫画の落ちの台詞を考えさせるというもの。いしいひさいちの『ののちゃん』。電話の受け答えを巡ってののちゃんの悪戯心の描出。前者は形態を厳密に記述する力、後者は論理と常識を応用する力と言葉遊びのセンス。

同席の電子情報工学の同僚曰く（前者の）「形と文章とをともに交互に表せる力が（自分の分野では）特に重要なんです」と。かたや後者は文系にこそ要請される力か。まこと日本語の正確な表現と伝達は分野を問わず重要である。外科手術やコンピューター操作のマニュアル文、憲法や法律の文言、美しく気の利いた韻文など。今は当該科目の構想は緒に就いたばかりであるが、この調子で進捗するとなれば、やがて日本語リテラシーの体系的なノウハウ伝授の仕組みが出来あがろう。懇切丁寧な〝手取り足取り〟状態となろうか。「が」と「は」との違いの論議とか。「AはB」の時はBに、「AがB」の時はAに情報の力点があるとの所見とか。たとえばAが「私」か「君」かで、Bが「留まる」か「行く」か。

翻って「自分らの頃はこうではなかったよなあ」（同席同僚）。日本語の読み書きの作法、とりわけその作文については、あるいは行き当たりばったりの本を参考にして、あるいは好みの著者の文体が〝憑依〟する格好で、あるいは修業期間たる院生時代には師匠の「芸を盗む」流儀で、各自が各様に模索、自学自習するしかなかった。ちなみに筆者の場合、はじめは加藤周一の文体に影響を受け、のちには勝田吉太郎の文体に感化された。ノウハウ系の本では本多勝一『日本語の作文技術』(一九七六年)、清水幾太郎『論文の書き方』(一九五九年)が説得力に富んでいた。前者からは文章は明晰第一たるべきこと、「読点」は息継ぎではなく、論理の切れ目で使うべきことを学んだ。後者からは、「あるがままに」書くことはやめようとの趣旨に共感し、良い論文は「するりと入ってぷつんと終わる」に限ることを学んだ。

あらゆる学びの営為がそうであるように、自学自習の基本の上に、方法論の自覚に立った教授システムを導入しようとの試みには意味があろう。成功を期したい。

地方国立大学の文系の位置（一）

大学の本場はヨーロッパである。ヨーロッパでは、概ね一二世紀から一三世紀の「ウニヴェルシタス（組合団体）」であれ、一五世紀から一六世紀の「アカデミー」であれ、近代国家が出現する以前から「大学」が存在していた。大学とは、国益や実利を追求するための手段でなく学問の営為そのものの場であると了解されていた。それに加えて一九世紀以降は、成立を見た近代国家の発展のための機関とも解されることとなる。

日本では、近代国家成立後に大学が登場する。国家の独立保全と国力増進が急務であった。大学は富国強兵と殖産興業の先導役でなければならない。政治行政機構の構築と運営や官吏の養成、経済界での人材養成とともに、技術革新と生産力向上が必須の要請となる。理工系の定礎と拡充が喫緊の優先事項である。高等教育政策としても近代化と産業化を進める上での資源の有効な配分と活用が求められる。帝国大学は国家の枢要たるべく理工系と法経系を中心に設計され、その自余の領域として私学は人文系リベラルアーツ（近代以前からの大学の固有の特色である教養系の諸学）が中心に。それぞれ国家社会での一分業を担うという形である。他方で国家の産物たる帝国大学にあっても（ヨーロッパと異なり自律的な学問の場たる大学がなかったがゆえに実感と実績の伴わぬままに）「学問の自由」や「大学の自治」の理念が唱えられ、時にその標語の下で〝学問のための学問〟をもっぱら尊しとする〝役立たずの変わり者〟の美意識が生まれもする。

敗戦後もこの構図は変わらない。第一に、国立大学は何よりも戦後復興や高度経済成長や「科学立国」や「産業立国」の牽引役である。理工系は引き続き重視される。第二に、国立大学の間での「資源の有効な配分と活用」に照らした役割分担が措置される。第三に、「大学は職業訓練校に非ず」との人文系リベラルアーツの声も途切れない。

さて、近時の事案である。先の第一に関して、文部科学省の方針（つまりは国策の反映）として平成二五年（二〇一三年）一一月に「国立大学改革プラン」が公表されたところ、「文系学部の縮小」との疑惑ないし臆測が生まれた、あるいは実態が露見したと評すべきか。社会的ニーズの少ない純然たる文系は不可で文理融合型が推奨されるとの含意もある。国立大学の原資たる税金の使途に関わる。逼迫する財政事情とグローバルな競争への対応からする公金の配分の優先順位の問題となり、やはり文系の逆境となる。先の第二に関して、国立大学の間に公然たる格付けがある。かつての一期校と二期校の区分けなど。その区分がなくなり更には国立大学が法人化されて以降も、その表現に変種はあるが基本は変わらない。「国立大学改革プラン」では「各大学の機能強化の方向性」として「世界最高の教育研究の展開拠点」、「全国的な教育研究拠点」、「地域活性化の中核的拠点」と三分類されるが如し。その歴然たる序列は、（年次毎に漸減されるところの）運営費交付金の懸隔に象徴されている。私立大学も私学助成金の多寡という形でこの格付けに準じた扱いを受ける。

地方国立大学の文系が以上の構図の中でいきおい難儀を被る立場に置かれることは見やすい道理であろう。文系への弥増す風圧の強さ、国立大学の体系における役割分担という名の階層秩序の三分類の三番目に大方の地方国立大学は該当するという事実ゆえにである。そうとするならば、文系の人士たる者、わけても地方国立大学文系学部の教員たる者は、現下の苦境に結束して当たらねばならぬはずだが、はたして実情やいかに。

地方国立大学の文系の位置（二）完

文系内部での差異が色々とある。人文学系と社会科学系。それぞれに基礎と応用や一般教育と専門教育やの区分があるが、両者は実用の要請への抵抗感の度合いという点で差があるようだ。概して前者は純理、後者は実利を重んじる。もっとも人文学系の社会学や心理学には社会科学系の関心もあれば、「政治思想史」を目して「法学部の中の文学部」と評する向きもある。文系の大学教員としての通有性――世間知らずなくせに偉そうな素振りの変人という傾向性もあろうか。とにかくも人文学系と社会科学系の相違は厳存する。

もとより（前出の）「国立大学改革プラン」でいう仮に〝世界型〟や有力な〝全国型〟だと、文系でも――そのどの分野でも――不利益はないであろう。東大や京大など。国策そのもの――教育政策や教育行政を策定しその運営に預かるエリートたちの発出源、かつは同等にメディア等への発信において影響力を持つ対抗エリートの供給源でもあるからだ。制度設計の当事者かつ批判のオピニオンリーダーでもある。文系は主に文学部・法学部・経済学部という風に人文学系と社会科学系とが組織上も明瞭に区切られ、別個に並立しつつ各々の習俗なりに自律している。

問題が顕在化するのは〝地域型〟の地方国立大学文系である。人文学系と社会科学系とが各個に学部を持つことは少ない。法文学部のように複合学部として〝同居〟を強いられる図だが、それが小異を捨てて大同に就くという方向に行かずに、かえって純理性と実利性との相性いかんや、己の経歴に由来する自意識の違いなど、異質な者たちの不信や対立が際立つようだ。人文学系の論理と心理と行動様式は、社会科学系から見て揶揄的に〝アカデミズムの擬態〟と、社会科学系のそれは、人文学系から見て揶揄的に〝学問的良心なき俗物〟と映じもしようか。それら教員の出身大学は〝世界型〟や有力〝全国型〟が多いから、己の馴染んだ人文学系なり社会科学系なりの流儀を通したいが、それが出来ぬという欲求不満もあろう。しかもこれら全てが実業界の目には、脳天気な甘えと映りもする。およそ人には、自身のことは重々しく他人のことは軽々と思いなす心の働きがあるようだ。身内の業界には詳しくて質量ともにその労苦も実感できるが、他所の段となると実感がないから何故かしら楽で無駄な仕事のように思えてならぬとか。自己への偏愛と他者への冷淡は、人間心理の通則である。大学内部の「文系の内輪揉め」も、異業種の間の相互の批評も例外ではないということか。

ともあれ、地方国立大学文系としては、全国的にますます小さくなるパイを奪取すべく、人文学・社会科学両系の連携もギクシャクと、動員できる資力が局限されている中で、存立の道を探らねばならない。その有様は、さしずめ文科省の顔色を窺いながら、身の程を弁えた風情を漂わせつつ、模範解答の提出に腐心する〝優等生〟たちの忠誠心アピール競争である。ないようなあるような資産を元手に、あるようなないような知恵を絞る図柄。改革に次ぐ改革への対応がしきりである。しかもそれらの改革には文系の縮小再編が基調にある。時に、空転する大車輪の様相を呈する。

しかし、そもそも大学の理念と内容に「文系」は不可欠である。その一点を押さえて、持ち場、職場に一所懸命でなければならない。文系の意義を再思三考しつつ随所に随時に明らかにする試みが、逆境のさなかにこそ肝要であり続けよう。

ABUロボコン2017観戦記

大学生がロボットを製作して所定のゲームでその勝敗を競う。その類は種々あるがABU（アジア太平洋諸国の放送団体）主催のもの。文科省・外務省ほかが後援。二〇一七年八月二七日、東京にて。持ち回り。諸国から一人学のみ。マレーシア、ベトナム、タイ、日本、インドネシア（以上がシード校）、エジプト、インド、パキスタン、ネパール、韓国、イラン、フィジー、スリランカ、香港、モンゴル、中国、カンボジア、カザフスタン。開催国の日本からは二大学（東工大と東大）。一九校の勝負である。予選を争い本戦に。ベスト8はマレーシア対東大、インドネシア対タイ、ベトナム対インド、ネパール対東工大。機械や制御や電気の創意工夫が本位。各国での優勝のあとの改良を含めての技術力。現場での当事者のコンディションや操作術の影響もあろうが、やはり基本は優れたマシンで臨んだチームが優勢必至である。その優劣は不慮の事態がない限り覆らない。シード校ほかの勝ち上がりは順当な結果であろう。

競技の中味は開催国の伝統芸能に因んだものもある。今次は「投扇興」がモティーフである。ルールの概要は（図示なしで不如意だが）以下の通り。主催者プログラムの表記を参照した。アリーナは方形。その左右が各々の陣地である。フィールド上の七つのスポット（高さの違う上部が平面の柱）に乗っているボールを落とし、空いたスポットに柔らかいディスク（皿）を投げて乗せることで得点する。それぞれ3人での対戦形式。中央に五つのスポット。これに乗せればディスク1枚につき1点、自陣の直近に一つのスポット。これは何枚乗せても1点、相手の当該スポットに乗せれば5点。ディスクは50枚、時間は最長3分間。1．各ロボットはスタートゾーンから装填エリアへ移動しディスクを装填、2．ディスクを投げてボールを落としスポットにディスクを乗せる戦いの開始、3．全てのスポット上のボールが落ちている状態で、自チームのディスクを全てのスポットに乗せると「ＡＰＰＡＲＥ！」（天晴れ）としてその時点で勝利、もしくは試合時間終了時での高得点のチームの勝ち。同点の場合の判定には種々の細則がある。

迫力、スピード感、急転回の進展。これらがその魅力である。勝った側の喜び、負けた側の涙。各国・各校の応援も盛ん。その愛国心の発露、しかも他国への敬意。（大東亜共栄競技との言葉が浮かんだ）。上位での戦いになると、何れのチームが「ＡＰＰＡＲＥ！」達成が一瞬でも早いかの高レヴェル。マレーシア対タイ戦では「ＡＰＰＡＲＥ！」同時と判定されて再試合となったり。（筆者の応援する）東工大は準決勝でベトナムに敗れる。モニターで追認すると、優勝のベトナム、準優勝のマレーシアは、ディスク発出からスポット着地までの軌道が実に正確である。無駄撃ちがほとんどない。悔しいながら東工大は精度で差をつけられた。東大は無類のハイテク仕様で臨んだが本番で不具合。比較的に単純なこの種の競技では、扱いやすく修正の容易なほどほどのローテクが有利なのであろうか。

ベトナムは二〇〇二年以来一六回の大会で優勝最多。歴史上に度重なる中国からの侵略を撥ね付け、アメリカとの長期の戦争にも負けない、この民族には大変な資質が貯えられているのかもしれない（やや話の本筋から逸脱）。

「百聞は一見に如かず」である。NHKで放映された。

『年をとった鰐』私註（一）

『年をとった鰐』（一九二三年）はフランス人の軍医レオポルド・ショヴォー（一八七〇〜一九四〇）の作品である。次男のルノーに読み聞かせるために書かれた短篇の絵本である。原訳：出口裕弘、文と絵：山村浩二。

あらすじは以下の通り――「ピラミッドが建つのを見たほど年をとった鰐」がいた。リュウマチで獲物に近づけない鰐は家族たる曾孫の鰐を食べた。親族たちはは老鰐を殺そうとするが果たせず。鰐は故郷たるナイルを自ら去り海に出る。そこで雌の蛸と出会う。「蛸は、できての友だちにいろいろなさかなをとってきては、御馳走した。ふたりはなかよく並んで寝た。鰐は夜中に目を覚ました。闇の中に浮かぶ魅力的な蛸の足を見て、たちまち良くない考えが浮かんだ」。二匹はスエズ運河から紅海に入り無人島で暮らす。鰐は蛸に晩飯を持ってこさせ満足したが「しかし夜になると、がまんできずに、また蛸の足を一本いただいた」。この頃から鰐の体が赤く染まる。「鰐の蛸に対する愛情は二つあった。高尚で、つつしみ深く、ひとによくつくし、知恵だってある、そういう蛸への愛情。もう一つは、彼女のもも肉がかき立てる愛だ。その夜、蛸の最後の足が消えた」。しばらく鰐が蛸のために漁に出る。「しかしその夜、鰐は、恋人が食べたくて、がまんできなかった。彼は、彼女を真実うまいと思った。だが、食べ終わってしまうと、鰐は後悔の苦い涙を流した」。鰐は「気晴しにいくつかの遊びを思いついた」。「それでも、鰐は退屈だった。恋人を食べてしまった事を、たいそうくやんだ。食べた時、とてもいい味がした事を思い出すのが、たった一つのなぐさめだった」。鰐はエジプトに帰還する。子孫の鰐たちは逃げ出した。「おかしな奴らだな。なんだか、怖がっているみたいだ。やれやれ、やつらわしを覚えているようだ。たかが、つまらない鰐を1匹ばかり食ったからといって、あいかわらずこの騒ぎとはな」。鰐は餓死を決心し泥地に寝そべり死を待った。夢の中で美しい音楽が聞こえて「鰐の天国」に入れたようだと思ったところ、急な騒々しさに目を開けた。人々が踊りを踊って自分にひれ伏していた。「鰐は、若い娘の太腿に噛み付いてしまった。娘は鰐が消化できないのではと心配して、ガラス細工のついた腰布を取り去った。娘は鰐のからだの中に消えた。娘をひとり食べ終わると、いつものように眠くなった」。男たちは音曲を奏でながら鰐を運び去った。「神の座にまつりあげられた鰐は、毎日供えられる若い娘たちを食べながら、いまだに生き続けている。ただ、彼には、なぜ鰐たちが自分を見て逃げ出したのか、またなぜ人間たちがこんなにも自分を崇拝するのか、かいもく、見当がつかないのだ。とても謙虚な鰐は、そのわけを知ったら、もっと、さらに、謙虚になることだろう。紅海の熱い海水が、鰐の体をゆでダコのように真っ赤に染めあげていた、ということを」。

読後感やいかに。この物語の主題やいかに。謎をいかに解くか。筆者なりに思い考え、また周りの人たちにも感想や意見を伺った。本書の存在を知らせてくれた教え子Nさんは、「面白い」としながらも鰐の忘恩行為（献身的な恋人の蛸を食べるくだり）や鈍感さ（鰐たちの逃げる理由が判らないくだり）に憤る。また「老害」を描いているのだろうと。ゼミ生のHさんとTさんは（巻末のくだりで）「一体、この鰐のどこが謙虚なんですか」と問う。友達のAさんは「わたしが子供なら『こんな恐い話なんかイヤ』と泣きながら、『別のお話を読んで』と頼むわ」と。種々様々の解釈は次頁に。

『年をとった鰐』私註（二）完

前頁で本書のあらすじを述べ、読後感の一部に言及した。その続きと結び。以下、各位の読後感や解釈をアレンジしつつ展開しよう。

1．不愉快、不可解、怪訝、憤慨、恐怖との読後感が大多数。「クスッと笑える部分」もあったが「トラウマになりそうなくらいコワイお話でした」（友達のKさん）との所感など。

2．そもそもナンセンスなのだとの見方。笑いだけなのだと。作者はフランス人。夫がフランス人の日本人ソムリエールYさん曰く、フィアンセ時代にフランス映画のコメディを観た。子が親を虐待する場面で、自分は目を背けたくなったが、彼氏はゲラゲラと大笑い。この人と結婚して大丈夫かなと危ぶまれたが、今ではその感じが判ると。実際、鰐が恋人の蛸を食うくだりで、Yさん爆笑。フランスの笑いは専ら自己中心的で、酷い目に遭わされている対象に何ら感情移入しないとか。善悪は不問で意味があろうとなかろうとにかく笑い飛ばす。なるほどフランス系は「怪盗ルパン」にせよ「ファントマ電光石火」にせよ悪人がヒーローである。もちろん、笑いだけのギャグは洋の東西を問わず。落語も漫才もコントも。たとえば「蕎麦が羽織を着て座っていた」との演目は些かグロテスクな可笑しみのみ。（強いて言えば「早合点は話だが。

命取り」との教訓か）。フランス人ならぬ大方の日本人には当の『鰐』物語は笑えないという
3．若き友達のNさんの感想と秀逸なコメント――『鏡の国のアリス』での海象に食べられる牡蠣の赤ちゃんの場面を思い出して恐かった。（捕食者たる狼と被食者たる山羊とが友達として共存する）『あらしのよるに』のような平和な結末を願っていたのに、と。物語で「恋人」を「食べ終わってしまうと、鰐は後悔の苦い涙を流した」とあるが鰐は実際には反省していない、「鰐の涙」とは偽善の嘘泣きという意味だから、と。「とても謙虚な鰐」とは逆説。加えて野田式。偽善が明らかになった象徴が、鰐の体が「真っ赤に染めあげ」られたくだり。その詐欺師たる鰐を「神の座にまつりあげ」人身御供を捧げ続ける人間の愚かさ、という含意か。
4．野田の第一印象である。人間あるいは生きとし生ける者の業を表しているのではと。生きる上で他者を犠牲にせざるを得ないという人間さらには生物一般の宿業がテーマだと。「老害」はその一局面。
5．『旧約聖書』のエホバ神への風刺や揶揄かとも。「ピラミッドが建つのを見た」とはユダヤ教の確立の時期と重なる。鰐はその酷薄さと人知の及ばぬ不条理においてエホバ神さながらである（本書『ユダヤから日本』論の真偽（二）を参照）。世俗化で消滅しかけたかと思いきや、エホバ神は人間の犠牲の下に「いまだに生き続けている」との皮肉である。

6. 反戦の訴えかとも。著者ショヴィーは軍医として激戦地のヴェルダンなどで地獄を見た。国内でその脅威が警戒され疎んじられた軍がいざ遠征をして戦果を挙げて凱旋よろしく帰還するや、歓呼の声でこれを迎える民衆の救いのなさとの寓意か。

7. 鰐は外なる他者ではない。汝自身である、または我自身である。鰐は隠された欲望ないしは無意識の表徴。恋人を食うとか若い娘を食い続けて暮らすとか、本当はそうしたいと思っているが口に出せないことを鰐にさせているのだ、と。

8. 子供に聞かせる話である。鰐の立場を正当とする。他者にどんなに迷惑をかけても必ず生き延びよとの激しいメッセージか。己の生命が至上——生命力の賛歌が骨子なのだと。

どれも今ひとつ確証はない。他に決定的な釈義やいかに。

恩師を偲ぶ

勝田吉太郎、一九二八年二月五日から二〇一九年七月二二日、九一歳の大往生である。ロシアや西洋を中心とする政治思想史、広汎なる政治文化論、日本と世界を巡る時事評論。稀有の碩学であり言論人である。名古屋市出身。京都大学名誉教授。『勝田吉太郎著作集』全八巻ほか。二〇一九年九月一日に京大にて「勝田吉太郎先生を偲ぶ会」が開かれた。発起人挨拶の他、それぞれ所縁の種々の職責の同輩と門下生六名による「追想の辞」――愛媛大学関係は戸澤健次氏が担われた――と謝辞。以下、筆者の追想である。

東北大学法学部の頃、『現代社会と自由の運命』（一九七八年）『近代ロシヤ政治思想史』（一九六一年）に接して仰天に近いほどの感銘。学術書にして大河小説のような生気漲る筆致。芸術文学まで包摂したその豊穣。こんな政治学もありか!との驚愕。慕って京都大学大学院に。

御自宅に伺った初日。応接間の椅子で待つ。先生が現れて野田は挨拶（したつもり）。何かしら先生は不機嫌そうだった。そして授業前の研究室。助手の南充彦氏に引き合わせ。半身で挨拶をしたところ、「コラーッ」と雷が落ちた。「きちんと挨拶しなさい。君は僕の家に来たときも立ち上がらずに会釈したな」と。

修士論文を提出。同期の友人とともに御自宅に呼び出しを受けた。堅表紙に綴じた論文をテーブルに放り投げられて、「口頭試問までに書き直すことだな」と。茶化す口調で「いいかい、これは君自身が書いた文章だよ」と拙文を読み上げたり。修論は鉛筆での〝筆誅〟が満載。「あまりに下手な訳だから誤解をうむ。もっと自分の言葉でわかりやすく意訳せよ」とか「意味不明↓訳がボヤけているのは、君の頭がボヤぼやけている結果だよ」とか「もっと日本語らしくせよ。まるで中学一年の作文のようでないか！　君はハイエクを訳す大学院授業で寝ていたのか！」とか「これ、日本語かい、ドタマをタタケ」など。

書き直して大部となった修論を口頭試問の席で渡す。先生は訂正版をその場で初見すなわち未読というわけだが、ちらとページを捲って「うん、きれいになったね」と一言。皮膚の移植手術後に顔のガーゼを取り外し上首尾の結果を確認した外科医のような趣。ひどい「怒られ」は通過儀礼の意味合いもあったのかと。

とにかく恐い。相似た所感か、先輩の小野紀明氏曰く、（勝田門下の指導教授の）木村雅昭氏と勝田先生はどちらが恐いかとの話柄。「どちらも恐いが木村先生の恐さは撥ね除けられる恐さだが、勝田先生の恐さは絡みつくような恐さで本当に恐い」と。愛大に赴任後、まれに勝田先生から電話が掛かってくると、織田信長から電話が来た！との緊張が走ったものだ。

しかるに〝恐怖支配〟ではない。門下生の「追想の辞」はどれも先生との記憶を愛おしむような中味であったように。同期の中野潤三氏の話――（京大退職後の）鈴鹿国際大学の学長たる勝田先生の右腕として活躍していたところ、何かの事で酷く叱責された。数日後、学長室に呼ばれてみると、先生は満面の笑みで「久しぶりに先生と学生の関係に戻ったね」と返されたという。先生ならではの怒りと笑いの落差もある。人心掌握術に長ける。野田の無作法を一喝した直後に「そういう僕の息子も礼儀知らずでなあ」と続けたり。修論の不出来をさんざん叱ったあとに、「さ。この話はいったんおしまい」と区切り、「ママ～！」と。すると紅茶とショートケーキが運ばれてくる按配。根本に温情溢れる恩師であった。

「現代イデオロギー論」初回のこと

愛媛大学にて常設の講義題目である。その字義について同講義の初回で述べる話柄である。「現代」「イデオロギー」の意味など。それぞれ一筋縄ではいかぬ。解説を試みよう。

1.「現代」とは何か。二通りある。

（1）日常用語として、この頃・今頃・同時代。『現代の核兵器』（一九八二年）なる標題の一書があるが、この意味である。まさか「中世」に核兵器は存在しないから。

（2）歴史学上の用語として、古代（上代）→中世→（近世→）近代→現代という順に区切る、その直近の時代。いつから「現代」かについて定説はないが、ヨーロッパでは二〇世紀以降、殊に欧州大戦（第一次世界大戦）後を指すことが多いようである。

2.「イデオロギー」とは何か。甚だ多義的である。

（1）中立的な用法〈仮にn:neutral〉と批判的な用法〈仮にc:critical〉とがある。

（2）日常用語として。政治哲学とか生活信条とか〈n〉、または「ためにする議論」、党派的な言動、現実無視の独断、非科学的な見解〈c〉とか。後者の場合、「イデオロギー」は悪い含意、それ自体が非難の言葉である。

（3）政治学・社会学上の用語として。論者により諸相ある。時系列で触れよう。六点ほど。
①「観念に関する学問」（ドゥ・トラシー（一八〇一年）の謂い〈n〉。イデーすなわち観念についての事柄という点で「イデオロギー」の原義ともいえる。
②これを「空理空論の徒」（ナポレオン）と嘲笑するもの〈c〉。
③「虚偽意識」〈c〉とするもの。フォイエルバッハ『キリスト教の本質』（一八四一年）によれば、キリスト教（や宗教そのもの）は「虚偽意識」。神は全知全能にして至善。それを人間が崇拝している。しかし、それは現実の人間世界で抑圧され搾取された者が本来は自らが備えている善性を外部に投射した幻影に過ぎない。自己疎外の産物である。今こそ人間界にその本来性を取り戻し、そこでこそ理想世界を実現すべきである、覚醒せよとのアピールである。
④いわゆる「上部構造」、もしくは「上部構造」中の文化形態〈n〉〈c〉。マルクスとエンゲルスの立場である。主に『ドイツ・イデオロギー』（一八四六年）や『経済学批判』（一八五九年）。マルクスらの「科学的社会主義」＝共産主義によれば、人間社会は「土台」と「上部構造」から成る。「意識を決定する生活」すなわち経済力（生産力）が「土台」であり、これが生産様式や政治制度や文化と思想すなわち「上部構造」を規定するとの主旨である。にも関わらず「上部構造」の担い手つまり支配階級が「土台」を失いつつありながら己に好都合な価値観を普遍的と思わせて強要ないし教化する。資本主義や「ブルジョワ民主主義」や自由主義が

その典型である。それが「イデオロギー」の定義である。（なお、対するに自由主義側からは共産主義こそが幻想を強制し己の実態を隠蔽する、まさに「イデオロギー」〈c〉に他ならぬとする）。

⑤マンハイム『イデオロギーとユートピア』（一九二九年）。人間は「存在被拘束的」である。存在が意識を決定する。貴族は保守主義を、実業家は自由主義を、労働者は社会主義を信奉するように。その人間の持つ意識のうち、現状を打破するようなメッセージを発するものが「ユートピア」、現状を正当化するように機能するものが「イデオロギー」なのだと〈n〉。

⑥ポパー『歴史主義の貧困』（一九三六年）は「歴史法則主義」なる盲信に基づく革命志向でなく「断片的社会工学」を説く。ここでは「歴史法則主義」が「イデオロギー」〈c〉である。ベル『イデオロギーの終焉』（一九六〇年）。東西冷戦下の言説である。「イデオロギー」とは左右ともども、壮大な全体論的な世界観である〈n〉が、それは今や無用であり、双方が社会民主主義的な福祉国家論に収斂（しゅうれん）するであろうとの予見である。

3．以下（の講義では）、断りない限り中立的な用法を取る。人間や社会や歴史や政治に関する多少とも体系的な思想で実践的な意味合いを濃厚に帯びるもの。——概ねこのように用いる。もっとも同時に〝野田イデオロギー〟も頻出する。あたりさわり大いにありである。

「ゼミ」来し方

愛媛大学法文学部にての「ゼミ」について。来し方を振り返る。一九八八年から二〇二二年まで。制度の変遷に伴い「法学科」、「公共履修コース」、「法学・政策学履修コース」の一員として、およそ（移行期の計算が面倒だが）七年間、一九年間、六年間にわたり担当してきた。

ゼミ（セミナー、ゼミナール、演習）。大学の授業の一形式である。講義と対比すると、専門性と少人数というのがその特質である。形式と内容ともども多様であり担当者の裁量の余地が広い。学問分野の特性に応じてかその相貌は様々である。募集の方法などは概ね以下の通り。ゼミ定員は該当する学生数を教員数で除して常時担当の（昼）は約六から七名、不定期担当の（夜）は約一二から一五名、三年次編入生があればプラスアルファである。三二年間での様態の差違としては、ゼミの期間が三かつ四回生という二年の類型と、二回生後期から三四回生という二年半の類型とに大別されようか。基本的には大差ない。ゼミ選択の過程や如何に。教員がメッセージを発し学生が研究室訪問などを経て目当てのゼミへの志望票を出す。学生と教員との間での定員内の数を巡る取捨選択。各ゼミが成立すべく二ないし三度ほどの選考の操作手順がある。学生からすれば第一希望が叶うか第二希望以下に甘んじるかが関心事となる。

さて、野田ゼミの実相である。講義は政治学系だがゼミは自由自在。拙文「政治学・経済学・法律学などの学問分野を幅広く学ぶコース。それらの知見を『公共』への関心につなげ、現代世界の諸問題の解決を図る。『公共』問題の歴史解釈や現状分析や規範探究に努め、自由で民主的な社会を担う『良き市民』の知性とセンスとを磨こうと志す者には最適のコースである。公務員や民間企業、進学など多様な進路が考えられる」との潜在意識はあるものの、何でも有りというのが野田式。「何でも有りなのだから第一希望に撥ねられたら是非に。自分の目指すところを此処で展開してくださいな。第二希望というのもなかなかに乙ですよ。ノーベル受賞者にもこうした経歴の人が少なくないですし」の流儀。当ゼミの狙いは、よく考える心とよく伝える技の涵養か。

野田ゼミの逸話。「先生は何で生きているんですか」と問う男子とか。裁判員制度の当否を扱った卒業論文について「論理の流れと結論が違うやないか」と怒られた男子とか（今は弁護士）。「プロ野球の現状と課題」との卒業論文について「阪神への言及が無いのは不備やないか」と叱られた男子とか。（当ゼミの作用いかんは不明ながら）全国的なエッセイストや作家となった女子とか。男女比は概して女子が高いが区々（まちまち）。さながらＡＫＢ４８ゼミが連続したこともあればＥＸＩＬＥゼミの年もあった。風景としては研究室にての珈琲の振る舞い――ミルで手挽きした豆をアルコールランプ仕様のサイフォン式で淹れる。「よく学びよく遊べ」ゼミ。学外の行事も多々。小学生中心イヴェントへの参加など。台湾ゼミ旅行の際には（それに備え類書を輪読するという）通常一般的なゼミの形を取ったり。生協発行の卒業アルバム二〇一七年版の〈持ち込み写真欄〉には「よく遊びよく遊べ」よろしく野田ゼミ一七枚など。

歴代の卒業論文の出来映えからは「野田ファイヴ」との自称で、マキャヴェリ論、フィンランド教育論、景気変動と地域経済論、ベルギー国家統合論、世代論の五編が傑出か。

自身「先輩」というもの、「先の世代」というものの役割。もとより師弟間にも親子間にも通有しようか。自身が「良き市民」の育成をメッセージとして発信しながら、「オマエが言うか」とのツッコミにはグウの音も出ぬように、まるで不完全なのにその不完全なままに後進を「指導」せざるを得ぬ。教育という営為は、人の世はよろしく斯くの如きか。一服の悲しみと笑いである。積年のゼミの営みの成果や果たしていかに。当のゼミ生たちや広い世間の第三者の判断に委ねる他ない。

あとがき

本書は『自由の信条／保守の感性 政治文化論集』（二〇一八年六月五日）の続編である。全六〇点。元々は全て〝愛媛系〟。うち五二点は前著と同様に『海南eタイムズ』または『海南タイムズ』が出所である。八点は大学紀要やＰＴＡ誌や放送大学系から。

心得は変わらず。歴史の過程と同様に個人の足跡も目的論には馴染まない。「歩く前に考える」というよりは「歩きながら考える」気配である。前著と比してさほど喧嘩腰でないという点が違いであろうか。大きく四分野。概ね時系列である。

今次の刊行にあたり、幻冬舎の冨岡亜衣さま小原七瀬さまを始め、御尽力と御配慮とを賜った。各位に謝意を表する次第である。

二〇二三年（令和五年）　七月　三一日

野田裕久

初出は以下の通り。

皇室論議の根本　『海南eタイムズ』　二〇〇四・七・五
朝日新聞対NHK――所感　同右　二〇〇五・三・七
竹島問題――韓国側主張に根拠なし　同右
平等と不平等の間（一）　同右　二〇〇六・二・二七
平等と不平等の間（二）　同右　二〇〇六・七・三
平等と不平等の間（三）完　同右　二〇〇六・七・三一
自由と平等を考える　同右　二〇〇六・九・一一
佐野亘『公共政策規範』書評　京都大学『人環フォーラム』No.28　二〇一一・三・一〇
里見岸雄『国体に対する疑惑』の事　『海南タイムズ』　二〇一一・八・二五
オークショット国際学会　同右　二〇一二・一一・二五
伝統と自由（一）――「中国におけるオークショット」に寄せて　同右　二〇一三・二・二五
伝統と自由（二）――「中国におけるオークショット」に寄せて　同右　二〇一三・四・二五
伝統と自由（三）完――「中国におけるオークショット」に寄せて　同右　二〇一三・六・二五
アクトンと歴史における道徳的判断（一）　同右　二〇一五・二・二五

アクトンと歴史における道徳的判断（一）　同右　二〇一五・三・二五
アクトンと歴史における道徳的判断（二）完　同右　二〇一五・四・二五
ヒューマニズムの来歴と現在　同右　二〇一五・七・二五
「西洋近代」補論　同右　二〇一六・八・二五
「政治倫理規程」について　同右　二〇一六・一〇・二五
西部邁の自殺　同右　二〇一八・二・二五
「保守」の映像――一つの比喩　同右　二〇一八・一二・二五
「国体」を巡る和辻哲郎の議論　同右　二〇一九・一一・二五

［以上、政治系］

「松山市子ども育成条例案」反対論を批判する『海南eタイムズ』　二〇〇三・一一・三
「ミス・コンテスト批判に道理なし」　同右　二〇〇四・二・一六
「女の涙」について　同右　二〇〇四・八・九
翻案について（一）――浅野温子と『古事記』　同右　二〇〇九・三・五
翻案について（二）完――太宰治と『お伽草紙』　同右　二〇〇九・四・一六
ルール考――ゲームやスポーツを中心に　同右　二〇〇九・六・四

ファーガソンの「贅沢」論　『海南タイムズ』二〇一一・四・二五
アダム・スミス『道徳感情論』から　同右　二〇一一・一〇・二五
チャットモンチーを讃える　同右　二〇一一・一二・二五
アラン『幸福論』への疑問　同右　二〇一二・五・二五
『永遠の0（ゼロ）』の原作と映画を評す　同右　二〇一三・一〇・二五
「ユダヤから日本」論の真偽（一）　同右　二〇一五・一〇・二五
「ユダヤから日本」論の真偽（二）完　同右　二〇一五・一一・二五
ラジオに寄せて　同右　二〇一六・一二・二五
「人生二度なし」考　同右　二〇一七・一二・二五
「終わり良ければ全て良し」――形式論理と実人生　同右　二〇一八・三・二五
「どちらでもない」との回答ほか　同右　二〇一八・九・二五

［以上、文化系］

小学校を卒業する皆さんへ　『海南eタイムズ』二〇〇六・四・三
ストレス対処に関する私見　同右　二〇〇七・一一・一
大学受験生への一助言　同右　二〇〇八・七・三一

職業の性質　『海南タイムズ』　二〇一五・一・二五
回想の教師たち――中学校まで　同右　二〇一九・八・二五
回想の教師たち――高校まで　同右　二〇一九・九・二五
同志と友人　愛媛大学教育学部附属中学校『積雲』
今年の桜　同右
言葉の不思議　同右
「君を守る」知恵　愛媛大学教育学部附属中学校『行く河』
がんばれるなら、がんばる　愛媛県立松山東高等学校『明教通信』

［以上、学校系］

正しい答案の書き方――一つの示唆　『海南eタイムズ』　二〇〇七・四・四
「日本語リテラシー入門」科目について　『海南タイムズ』　二〇一二・七・二五
地方国立大学の文系の位置（一）　同右　二〇一六・二・二五
地方国立大学の文系の位置（二）完　同右　二〇一六・三・二五
ABUロボコン2017観戦記　同右　二〇一七・九・二五
『年をとった鰐』私註（一）　同右　二〇一八・一〇・二五

『年をとった鰐』私註（二）完　同右　二〇一八・一一・二五
恩師を偲ぶ　同右　二〇一九・一〇・二五
「現代イデオロギー論」初回のこと　放送大学愛媛学習センター『坊ちゃん』一〇三号
「ゼミ」来し方　同右一一〇号

〔以上、大学系〕

参考文献一覧（本文で言及したもの、掲載順）

『論座』（朝日新聞社、二〇〇五年三月号）

川崎泰資「NHK政治介入疑惑 死に瀕する『公共放送』―NHK―政治介入の果て」

＊『世界』（岩波書店、二〇〇五年三月号）

独島研究保全協会、独島学会編『韓国の領土 独島物語』

下條正男『竹島は日韓どちらのものか』（文藝春秋、二〇〇四年）

菊池正士「科学の超克について」（一九四二年）

＊河上徹太郎・竹内好他『近代の超克』（冨山房、一九七九年）所収

ジェレミー・ベンサム『道徳および立法の諸原理』（関嘉彦編『世界の名著49 ベンサム／J・S・ミル』中央公論新社、一九七九年）

プラトン『国家』（岩波書店、一九七九年）

ラリー・シーデントップ『トクヴィル』（野田裕久訳、晃洋書房、二〇〇七年）

『人権宣誤』（岩波書店、一九五七年）

ジョン・ロールズ『正義論』（矢島鈞次監訳、紀伊國屋書店、一九七九年）

足立幸男『公共政策学とは何か』（ミネルヴァ書房、二〇〇九年）

佐野亘『公共政策規範』（ミネルヴァ書房、二〇一〇年）
里見岸雄『国体に対する疑惑』（一九二八年）
＊（展転社、二〇〇〇年）
マイケル・オークショット『市民状態とは何か』（野田裕久訳、木鐸社、一九九三年）
William D. Rubinstein, Capitalism, Culture, and Decline in Britain 1750-1990 (Routledge, 1993)
Zhang Rulun, "Oakeshott in China" (Asan, 2015)
野田裕久「ハイエクとオークショット――合理主義批判型自由主義の展開――」
＊『愛媛法学会雑誌』二二巻一号、二号（愛媛大学法学会、一九九五年）所収
野田裕久「歴史家の道徳的判断について――アクトンの場合――」
＊『愛媛法学会雑誌』一五巻二号（愛媛大学法学会、一九八八年）所収
Ignaz von Döllinger, Briefwechsel mit Lord Acton, Band3 (C. H. Beck, 1971)
John Acton, Essays on Freedom and Power, ed.by Gertrude Himmelfarb (The World Publishing Company, 1955)
John Acton, Lectures on Modern History, eds by J. N. Figgis and R. V. Laurence (MacMillan, 1906)
カルロ・アントーニ『歴史主義』（一九五七年）
＊（新井慎一訳、創文社、一九七三年）

Herbert Butterfield, The Whig Interpretation of History (1931)
＊(W. W. Norton, 1965)
ハーバート・バターフィールド『ウィッグ史観批判―現代歴史学の反省―』（越智武臣他訳、未来社、一九六七年）
アイザィア・バーリン『自由論』（一九六九年）
＊（小川晃一他訳、みすず書房、一九七一年）
勝田吉太郎『民主主義の幻想』（日本教文社、一九八六年）
野田裕久『自由の信条／保守の感性 政治文化論集』（幻冬舎、二〇一八年）
Otto Hintze, Staat und Verfassung, (1962)
ヤーコプ・ブルクハルト『イタリア・ルネサンスの文化』（一八六〇年）
＊（柴田治三郎訳、中央公論社、一九七四年）
エルンスト・トレルチ『ルネサンスと宗教改革』（内田芳明訳、岩波書店、一九五九年）ハーバート・バターフィールド『近代科学の誕生』（一九四九年）
＊（渡辺正雄訳、講談社、一九七八年）
マックス・ウェーバー『職業としての政治』（一九一九年）
＊（脇圭平訳、岩波書店、一九八〇年）

西部邁『保守の真髄─老酔狂で語る文明の紊乱』（講談社、二〇一七年）
Michael Oakeshott, Rationalism in Politics and Other Essays(Methuen & Co Ltd, 1962)
野田裕久編著『保守主義とは何か』（ナカニシヤ出版、二〇一〇年）
西部邁他『表現者』（ジョルダン、二〇一三年）
佐々木惣一『改訂 日本國憲法論』（有斐閣、一九五四年）
和辻哲郎『和辻哲郎全集第一四巻』（岩波書店、一九六二年）
長谷川如是閑（飯田泰三、山嶺健二編）『長谷川如是閑評論集』（岩波書店、一九八九年）
石原莞爾『世界最終戦論』（一九四〇年）
＊（『最終戦争論・戦争史大観』中央公論社、一九九三年）
カール・フォン・クラウゼヴィッツ『戦争論』（一八三二年）
＊（篠田英雄訳、岩波書店、一九六八年）
『古事記』（岩波書店、一九六三年）
浅野温子稿　日本会議『日本の息吹』（二〇〇九年）
鈴木三重吉『古事記物語』（角川書店、二〇〇三年）
太宰治『お伽草紙』（筑摩書房、一九四五年）
『新編日本古典文学全集50・宇治拾遺物語』（小学館、一九九六年）

『御伽草子』（岩波書店、一九八五年）
Adam Ferguson, An Essay on the History of Civil Society (1767)
＊(Cambridge, 1995)
Adam Smith, The Theory of Moral Sentiments(1759)
＊(Cambridge, 2002)
アダム・スミス『道徳感情論』（水田洋訳、岩波書店、二〇〇三年）
アラン（エミール・シャルティエ）『幸福論』（一九二五年）
＊（神谷幹夫訳、岩波書店、一九九八年）
合田正人『アラン「幸福論」』（NHK出版、二〇一二年）
百田尚樹『永遠の0（ゼロ）』（太田出版、二〇〇六年・講談社、二〇〇九年）
マーヴィン・トケイヤー『聖書に隠された日本・ユダヤ封印の古代史』
＊（久保有政訳、徳間書店、一九九九年）
『旧約聖書』（岩波書店ほか）
板倉徹『ラジオは脳にきく』［プレミア健康選書］（東洋経済新報社、二〇一一年）
H・G・ウェルズ『宇宙戦争』（一八九八年）
＊（斉藤伯好訳、早川書房、二〇〇五年）

松田美佐『うわさとは何か』（中央公論新社、二〇一四年）
森信三『人生二度なし』（致知出版社、一九九八年）
皇后陛下・美智子様「子供の本を通しての平和――子供時代の読書の思い出――」（宮内庁、一九九八年）
ユン・チアン『ワイルド・スワン』（一九九一年）
＊（土屋京子訳、講談社、一九九三年）
岡本幸治『「働く」は「傍楽」なり』（ダスキン、一九九三年）
井伏鱒二『屋根の上のサワン』（角川書店、一九五六年）
福沢諭吉『学問のすすめ』（岩波書店、一九七八年）
『松下幸之助「一日一話」』（ＰＨＰ総合研究所編、一九九九年）
『近代日本政治思想史入門――原典で学ぶ19の思想――』（大塚健洋編著、ミネルヴァ書房、一九九九年）
いしいひさいち『ののちゃん』（朝日新聞社）
本多勝一『日本語の作文技術』（朝日新聞社、一九七六年）
清水幾太郎『論文の書き方』（岩波書店、一九五九年）
レオポルド・ショヴォー『年をとった鰐』（一九二三年）
＊（訳：出口裕弘、文と絵：山村浩二、プチグラパブリッシング、二〇〇六年）
ルイス・キャロル『鏡の国のアリス』（一八七一年）
＊（河合祥一郎訳、角川書店、二〇一〇年

きむらゆういち『小説　あらしのよるに』（小学館、二〇〇八年）
勝田吉太郎『勝田吉太郎著作集』全八巻（ミネルヴァ書房、一九九二年）
勝田吉太郎『現代社会と自由の運命』（木鐸社、一九七八年）
勝田吉太郎『近代ロシヤ政治思想史―西欧主義とスラヴ主義』（創文社、一九六一年）
高榎堯『現代の核兵器』（岩波書店、一九八二年）
ルートヴィッヒ・フォイエルバッハ『キリスト教の本質』（一八四一年）
＊（船山信一訳、岩波書店、一九六五年）
カール・マルクス、フリードリッヒ・エンゲルス『ドイツ・イデオロギー』（一八四六年）
＊（古在由重訳、岩波書店、一九五六年）
カール・マルクス、フリードリッヒ・エンゲルス『経済学批判』（一八五九年）
＊（武田隆夫他訳、岩波書店、一九五六年）
カール・マンハイム『イデオロギーとユートピア』（一九二九年）
＊（鈴木二郎訳、未来社、一九六八年）
カール・ポパー『歴史主義の貧困』（一九三六年）
＊（久野収・市井三郎訳、中央公論新社、一九六一年）
ダニエル・ベル『イデオロギーの終焉』（一九六〇年）
＊（岡田直之訳、東京創元新社、一九六九年）

著者紹介

野田 裕久（のだ やすひさ）

1959年（昭和34年）11月20日、大阪市生まれ。

1983年　東北大学法学部卒業。

1985年　京都大学大学院法学研究科政治学専攻修士課程修了。

京都大学法学部助手、愛媛大学法文学部講師、助教授を経て、2000年から愛媛大学法文学部教授、現代政治理論・現代イデオロギー論ほかを担当。

著訳書に、M. オークショット『市民状態とは何か』（木鐸社、1993年）、『近代日本政治思想史入門―原典で学ぶ19の思想』（共著、ミネルヴァ書房、1999年）、『「大正」再考―希望と不安の時代』（共著、ミネルヴァ書房、2007年）、L. シーデントップ『トクヴィル』（晃洋書房、2007年）、『保守主義とは何か』（編著、ナカニシヤ出版、2010年）、M. オークショット『リベラルな学びの声』（共訳、法政大学出版局、2017年）、『自由の信条／保守の感性／政治文化論集』（幻冬舎、2018年）など。

自由の信条／保守の感性　政治文化論集Ⅱ

2023年7月31日　第1刷発行

著　者　　野田裕久
発行人　　久保田貴幸

発行元　　株式会社 幻冬舎メディアコンサルティング
〒151-0051　東京都渋谷区千駄ヶ谷4-9-7
電話　03-5411-6440（編集）

発売元　　株式会社 幻冬舎
〒151-0051　東京都渋谷区千駄ヶ谷4-9-7
電話　03-5411-6222（営業）

印刷・製本　　中央精版印刷株式会社
装　丁　　弓田和則

ISBN978-4-344-94457-2 C0036
幻冬舎メディアコンサルティングHP
https://www.gentosha-mc.com/